Sin despegarme un milímetro de la pared, volteé la cabeza y miré dentro del cuarto en el que se hospedaba mi tía. No quería volver a entrar allí.

Se me heló la sangre.

Un murciélago negro con alas largas y grasientas entró volando por la ventana abierta y se posó en el umbral. Sus ojos estaban fijos en los otros murciélagos de las jaulas. Como un reloj, todos los animales se despertaron y comenzaron a desplegar las alas. Hasta bostezaron, mostrando sus afilados colmillos.

Y entonces...

El murciélago de la ventana comenzó a transformarse. Sus alas desaparecieron y fueron reemplazadas por brazos largos y elegantes. El pequeño cuerpo peludo se alargó y comenzó a adquirir forma humana. Mientras lo contemplaba con los ojos desorbitados y el pulso acelerado, las grandes orejas del animal se encogieron y la pequeña cabeza de murciélago comenzó a convertirse en un rostro humano. Un rostro humano *que yo conocía*.

¡NO TE PIERDAS NINGUNA DE NUESTRAS TERRORÍFICAS HISTORIAS ESCOLARES!

Sin salida de Mimi McCoy

Aullidos a medianoche de Clare Hutton

¡Colmillos afilados!

Ruth Ames

SCHOLASTIC INC.

New York Toronto London Auckland
Sydney Mexico City New Delhi Hong Kong

Originally published in English as
Poison Apple: This Totally Bites!
Translated by Karina Geada

ISBN 978-0-545-45808-5

12 11 10 9 8 7 6 5 4 3 2 1   12 13 14 15 16 17/0

Printed in the U.S.A.   40
First Spanish printing, September 2012

A mi abuela, Margaret,
siempre te querré

Capítulo uno

La habitación estaba fría y oscura.

Entré en puntas de pie. Mi corazón latía de prisa. El silencio parecía envolverme. Miré por encima del hombro para asegurarme de que nadie me había seguido. Parecía estar sola. Me sequé las manos sudorosas en mi falda de satén y respiré profundo.

Entonces los vi.

Unos ojos pequeños, como diminutos puntos de luz, brillaban por todos los rincones. Eran ojos malvados. Y me miraban directamente.

Sentí que me invadía el miedo, pero decidí no huir. Tenía que seguir adelante, ya era demasiado tarde para echarme atrás.

De pronto, escuché una voz extrañamente familiar que me llamaba en la oscuridad.

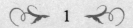

—¡Emma Rose!

Me quedé congelada. ¿Cómo sabía mi nombre?

La voz me volvió a llamar, esta vez con mayor urgencia.

—¡Emma Rose, es hora de levantarse, jovencita!

"¿Cómo?"

Abrí los ojos y me encontré en otra habitación. Cortinas moradas. Paredes empapeladas de negro moteado con calaveras rosadas. Sobre un escritorio de madera, un retrato de mi mejor amiga, Gabby, que yo misma había dibujado...

"¡Ah!"

Estaba en mi dormitorio, y mi mamá me miraba con el ceño fruncido. Logré calmarme y desperté a la realidad.

Todo había sido un sueño.

Había vuelto a tener esa horrible pesadilla.

—Son pasadas las siete, cariño —dijo mi mamá, mirando el reloj despertador que está sobre mi mesa de noche. Debí de apagar la alarma sin darme cuenta—. No puedes seguir llegando tarde a la escuela.

—Lo sé —refunfuñé, sentándome y apartando de mis ojos un mechón de cabello.

Desde que cumplí los doce años en agosto, he tenido graves problemas para dormir. Doy vueltas y vueltas en la cama, me invaden pensamientos extraños y no logro conciliar el sueño hasta la madrugada.

Y últimamente varios pares de ojitos rojos atormentan mis sueños.

Bostezando, observé a mi mamá acercarse a la ventana y subir la persiana. La luz me molestó al principio, pero enseguida sentí alivio. Era un hermoso día. En el Parque Central el cielo era de un gris tormentoso, silbaba el viento otoñal y resonaban los truenos. Sonreí al sentirme despierta y alerta.

Bueno. Reconozco que a la mayoría de las personas (como mis padres, Gabby y casi todas las personas normales) les gusta el sol y el calor. Pero yo prefiero el clima tenebroso. Supongo que siempre he sido un poco diferente.

—¡Hay huevos y salchichas para el desayuno! —dijo mamá saliendo del cuarto, ahora que yo estaba despierta.

Sentí hambre. La promesa de un buen desayuno (y la lluvia) me incitaron a salir de la cama. Al caminar por el cuarto, la peluda alfombra negra me hizo

cosquillas en los pies descalzos. Mamá y yo habíamos tenido más de una pelea por esa alfombra: ella
no comprendía por qué yo no quería una de un color
más alegre. Por suerte papá dijo que para mí era
importante expresar mi creatividad, y estuve de
acuerdo. Cuando sea grande quiero ser diseñadora
de modas, o de interiores... o las dos cosas.

Después de ducharme me puse mi ropa favorita:
vestido negro, medias moradas y botas negras hasta
la rodilla. Luego bajé a reunirme con mis padres
en la cocina, donde había demasiada claridad para
mi gusto... Mamá estaba haciendo café y papá estaba
comiendo cereales mientras veía las noticias locales
por televisión. Ocho pisos más abajo, Manhattan
despertaba vibrante con el ruido del tráfico de taxis
y autobuses.

—Ay, cariño —suspiró mamá al ver mi vestido.
Me alcanzó un plato de salchichas, huevos revuel-
tos y tostadas—. ¿No podrías, por lo menos hoy,
ponerte ropa de color pastel?

A mis padres les encantan los colores claros.
Esa mañana, mamá llevaba un enterizo celeste y
papá una camiseta blanca y pantalones color crema.
Pero las diferencias entre mis padres y yo van más
allá de nuestros gustos en cuanto a la ropa. No me

parezco a ninguno de ellos... en absolutamente nada. Mi mamá es rubia con ojos grises, papá tiene el cabello cobrizo y los ojos color café; y ambos se broncean fácilmente. Yo tengo el cabello largo, lacio y muy negro, mis ojos son azul oscuro y mi piel, blanca como la leche, se pone roja como la de una langosta cuando paso unos minutos al sol. A Gabby le gusta bromear que soy adoptada, y a veces me pregunto si será verdad.

—Humm... —dije yo, sentándome al lado de papá en la pequeña mesa—. Algo color pastel... déjame pensar. Tal vez... ¿cuando las vacas vuelen?

—Buenos días, señorita sarcástica —dijo papá. Apagó el noticiero y me sonrió levantando las cejas—. No le lleves la contraria a tu mamá, que le espera un lunes muy atareado —me regañó dulcemente.

Mi papá es diseñador gráfico y trabaja desde casa, por lo que casi siempre está más relajado.

Mamá asintió, llenando su termo con café.

—Estamos poniendo los últimos toques a la exhibición de Criaturas Nocturnas. Solo faltan dos semanas para la inauguración.

Al oír esto sentí una oleada de emoción. Mi mamá trabaja en el Museo de Historia Natural, que está muy cerca de nuestro edificio. El museo es famoso por sus muestras de dinosaurios, pero también organiza interesantes exhibiciones como, por ejemplo, de mariposas o monstruos marinos. Mi mamá está a cargo de estas exhibiciones y, cada vez que se inaugura alguna, ella y mi papá van a una gran fiesta en el museo. Este año, por primera vez, me dejarán ir con ellos. ¡No veo la hora!

—Y, por supuesto, nuestra invitada especial llega esta tarde —dijo papá llevando su plato al fregadero.

—¿Invitada? —repetí, mirando a uno y a otro sin comprender de quién hablaban.

En ese momento nuestro perro, Bram, entró en la cocina ladrando fuertemente. Cuando traté de acariciarlo se alejó de mí. Qué pena...

—¿No te acuerdas? —me preguntó mamá mientras revisaba la pantalla de su iPhone—. Tu tía abuela, Margo, viene de Rumania a quedarse unos días con nosotros. Ha trabajado como consultora a distancia para la exhibición, y ahora nos va a ayudar con la inauguración.

Cierto. Recordaba haber oído algo sobre mi tía abuela Margo, la tía de mamá, quien todavía vive en la pequeña ciudad europea de donde proviene mi familia materna. Mi papá nació en Nueva York, como yo, pero mamá vino a Estados Unidos con sus padres cuando era bebé. Yo era muy pequeña cuando murieron mis abuelos y por eso no sé casi nada sobre mi origen europeo.

Estaba a punto de preguntar de qué manera ayudaría la tía Margo con la exhibición, cuando tocaron a la puerta. Bram comenzó a ladrar como un loco, y mis padres y yo nos miramos.

—Gabby —dijimos al mismo tiempo.

Gabby viene todas las mañanas a buscarme para ir juntas a la escuela. Lamentablemente, a menudo tiene que ir sola porque yo no puedo despertarme a tiempo y ella es extremadamente puntual.

—Ya voy saliendo, le abriré la puerta —dijo mamá—. Nos vemos más tarde.

Le dio un beso a papá, me abrazó y salió corriendo de la cocina.

Un segundo después apareció Gabby con sus rizos dorados esparcidos sobre su cárdigan verde. Bram se le abalanzó encima, meneando la cola frenéticamente. Es triste reconocerlo, pero mi perro me odia a mí y adora a mi mejor amiga.

—Hola, precioso —le dijo Gabby, acariciándolo detrás de las orejas—. Buenos días, Sr. Paley.

Mi papá le devolvió el saludo con una seña desde el fregadero. Luego Gabby me miró con una chispa de picardía en sus ojos oscuros.

—Sabía que estarías lista esta mañana, Em —me dijo—. Este es el clima que te gusta.

Gabby me conoce y siempre me ha comprendido. Me comprendió desde que estábamos en primer grado y yo era la única niña que durante el recreo prefería no salir del salón y quedarme dibujando. Un día, de la forma más natural, Gabby se olvidó de las barras y los juegos, se sentó a mi lado y comenzó también a dibujar. Y lo curioso es que a Gabby le gustan los deportes y correr al aire libre. Pero simplemente decidió que yo necesitaba compañía. Dibujamos y dibujamos y, hacia el final del recreo, ya éramos inseparables.

Y aún lo somos. Gabby vive a cinco minutos de distancia y, si yo no estoy en su casa, ella está en la mía. Pasamos horas pintándonos las uñas (las mías de negro, las de Gabby de morado), descargando música, intercambiando brazaletes y hablando, hablando y hablando. Tengo otras buenas amigas (como Padma Lahiri y Caitlin Egan, con las que Gabby y yo almorzamos todos los días) pero no tengo el mismo vínculo con ellas. Soy hija única, y Gabby es como mi hermana.

—Espérame un momento —dije mientras me terminaba de comer las salchichas.

—Date prisa, Emma Rose —dijo papá comenzando a lavar los platos del desayuno.

—No sé cómo puedes comer esas cosas —me dijo Gabby con un gesto de desaprobación.

Gabby es vegetariana, y casi siempre tolera mi afición por las hamburguesas como yo tolero la suya por las ensaladas. Pero a veces mi querida amiga se pone un poco pesada cuando comienza a hablar de las maravillas de los brotes de soja.

—Es fácil —le respondí tomando un poco de jugo de arándanos—. Solo necesitas abrir la boca, insertar la comida y masticar. Te puedo dar un poco de tofu para que practiques.

Gabby me sacó la lengua y ambas nos reímos. Mi papá se nos quedó mirando como si estuviéramos locas, y eso nos dio más risa todavía.

Cuando finalmente nos calmamos, puse mi plato en el fregadero y me colgué la mochila al hombro. Luego las dos nos despedimos de papá y de Bram (que me ignoró por completo), y salimos.

Mientras bajábamos por el viejo ascensor, Gabby me miró con los ojos bien abiertos.

—Cuéntame —susurró—. ¿Volvió a suceder?

—¿Te refieres a la pesadilla?

Sentí un escalofrío al recordarla. Gabby era la única persona a la que le había hablado sobre la pesadilla que me atormentaba. Las puertas de roble del ascensor se abrieron cuando llegamos al lobby.

—Sí —continué—, y quisiera saber qué significa —añadí mientras saludaba a James, el portero.

Salimos a la fría llovizna de octubre.

Gabby se tocó el labio inferior pensando en lo que acababa de decirle. Tanto su papá como su mamá son psicólogos, por lo tanto Gabby y su hermanito, Carlos, tienen la manía de analizarlo todo.

—Tal vez la pesadilla representa tus temores —murmuró.

—¿Cuáles temores? —pregunté.

Eché la cabeza hacia atrás para observar las gárgolas que coronaban el último piso de mi edificio. La lluvia chorreaba de las horribles y deformes cabezas de piedra. Cuando era más chica me gustaba imaginar que mi edificio era en realidad una gran casa embrujada en medio de la ciudad. A veces lo sigo imaginando, especialmente en un día gris como hoy.

—La junta del consejo estudiantil —respondió rápidamente Gabby abriendo su sombrilla—. Estás nerviosa por la reunión de hoy.

—No necesito tener pesadillas para saber eso —suspiré, tomando a Gabby del brazo y guareciéndome bajo la sombrilla mientras caminábamos hacia el norte bordeando el Parque Central.

La gente pasaba a nuestro lado de camino hacia el metro, bebiendo café o hablando por teléfono.

—Pero tienes razón —añadí—. Y tú tienes la culpa.

Meses antes, en septiembre, Gabby había dicho que deberíamos participar en alguna actividad extraescolar porque eso se veía bien en nuestras solicitudes para ingresar a la universidad. Cuando le recordé que apenas estábamos en séptimo grado (y que ya tomábamos clases de ballet y dibujo) me dirigió una de sus miradas patéticas y me dijo que confiara en ella.

Y fue así que me vi presionada a formar parte del consejo estudiantil, que se reúne todos los lunes y jueves por la tarde. Hasta ahora la experiencia ha sido horrenda. Lo único bueno del asunto es que Gabby y yo podemos utilizar las reuniones como pretexto para estar juntas, porque ese es el único tiempo que compartimos en la escuela además del almuerzo. Y por lo menos la reunión de ese día trataría del próximo baile de Halloween, un tema que me interesa.

Halloween es mi fiesta favorita. Es la única época del año en que, al igual que yo, todos los demás disfrutan de cosas macabras y lúgubres.

—Lo siento, Em —dijo Gabby mientras atravesábamos la calle—. Pero no puedes pasarte todo el tiempo escondida en tu habitación dibujando y evitando al resto del mundo.

"¿Por qué no?", pensé casi llegando a nuestra escuela, West Side Preparatory. Eso me sonaba mucho más atractivo que cualquier actividad extraescolar.

Tal vez Gabby no me comprendía tan bien, después de todo.

Capítulo dos

—¡Orden! ¡Orden!

Ashlee Lambert, la presidenta del consejo estudiantil, golpeó el escritorio con su brillante martillo rosado.

Sí, un martillo rosado. La madre de Ashlee, que es juez, lo encargó especialmente para su adorada hija. Y evidentemente, Ashlee no quería dejar pasar ninguna oportunidad para exhibirlo.

Bang. Bang.

—¡La reunión debe comenzar! —gritó con su voz chillona—. Tenemos cuestiones importantes que tratar.

—Primera cuestión —le susurré a Gabby—: robar el martillo rosado y enterrarlo en algún lugar.

Gabby se tapó la boca con la mano para disimular la risa. Eran las tres y media, y estábamos al fondo del Salón 101, la sede del consejo estudiantil de primaria, de la escuela West Side Preparatory. Tradicionalmente, el consejo estudiantil de secundaria está dirigido por un alumno de octavo grado. Pero este año no cabía duda de que Ashlee sería nuestra intrépida líder, aunque estuviera en séptimo grado, como yo. Y como el presidente tiene la opción de escoger a su gabinete, todos los amigos de Ashlee estaban en posiciones de poder.

"¡Uff!"

Ashlee estaba de pie frente al pizarrón, tratando de captar la atención de los otros quince alumnos que estaban conversando, enviando mensajes de texto y, en general, recuperándose de un lunes muy pesado. La maestra encargada del consejo estudiantil, la Sra. Goldsmith, estaba sentada frente a la ventana leyendo el periódico *The New York Times* y, de vez en cuando, observaba la lluvia torrencial como si quisiera escapar. Me sentía igual que ella.

La Sra. Goldsmith es la profesora de estudios sociales y, además, es joven y bonita. Tiene el cabello castaño claro y una voz suave y dulce. En la clase de esa mañana nos había asignado un importante proyecto para el semestre: una investigación genea-lógica sobre nuestras familias. La Sra. Goldsmith presentó el proyecto como algo divertido, ella siempre está llena de entusiasmo, pero cuando llega el momento de la reunión del consejo estudiantil parece estar exhausta y deja que Ashlee asuma el control.

—¡Es hora de pasar lista! —anunció Ashlee cuando la gente comenzó a calmarse. Movió su cabellera rubia hacia un lado y pestañeó—. Henry, ¿podrías hacerlo?

Henry Green, vicepresidente del consejo, se puso de pie y tomó la tablilla que le entregó Ashlee. Cuando se paró frente a todos, sentí que mis mejillas se sonrojaban. Gabby me sonrió con picardía, luego se inclinó y escribió en el margen de mi cuaderno: *¡Admítelo!* Me mordí los labios y, presionando el lápiz con fuerza, escribí: *¡Jamás!*

Gabby quería que yo reconociera que estaba enamorada de Henry Green. Y bueno, tal vez sí, Henry es un chico muy guapo. Es el más alto de nuestro grado, tiene el cabello oscuro ondulado y unos ojos color verde claro que siempre parecen chispear. Pero también es el capitán del equipo de fútbol y pertenece al popular grupo de Ashlee. Si me gustara un chico, no sería alguien como él. Sería alguien que disfrutara de la música *punk*, que se vistiera siempre de negro y coleccionara arañas. Y a lo mejor (solo a lo mejor), que luciera un poco como Henry Green. Todavía no había conocido a un chico así.

Gabby comenzó a escribir algo más, pero entonces Henry llamó:

—¿Gabrielle Márquez?

Mi amiga levantó la cabeza.

—¡Presente! —respondió sonriendo.

Gabby admite francamente que Henry es muy guapo y listo. Ambos están en la clase de estudios sociales de la Sra. Goldsmith y Henry siempre saca las mejores notas en los exámenes. Pero quien realmente le gusta a Gabby es Milo, un chico que está en su clase de ballet. Según ella, cualquier chico que desee aprender ballet tiene que sentirse muy seguro de sí mismo... pero Gabby y Milo todavía no han cruzado palabra.

Henry volvió a mirar la lista. Sus labios se curvaron en una ligera sonrisa.

—¿Pálida Paley? —llamó.

Me ericé. Esa es otra particularidad de Henry. Como soy muy blanca, le gusta llamarme Pálida.

Siempre que nos cruzamos en los pasillos, sonríe y hace la misma broma. Esa es otra razón por la que no me gusta realmente.

—¡Presente! —respondí—. Y mi nombre es Emma Rose.

—Sí, por favor, limítate a los nombres reales, Henry —dijo la Sra. Goldsmith, levantando la vista del periódico.

Cuando Henry terminó de pasar lista, Ashlee escribió Baile de Halloween en el pizarrón, haciendo tintinear sus brazaletes.

—Muy bien, todos —dijo enderezando el cinturón blanco que llevaba sobre su vestido color durazno. (Mi mamá hubiera aprobado encantada la ropa de Ashlee)—. Para comenzar, el baile ha sido adelantado un día para que no interfiera con el baile de los estudiantes mayores. Nuestro baile se realizará el día de Halloween, el viernes 31 de octubre. Eso significa que tenemos dos semanas para organizarlo todo.

Se escucharon quejas en todo el salón. Sentí que se me hacía un nudo en el estómago, y Gabby y yo nos miramos desilusionadas. La fiesta de inauguración de la nueva exhibición del Museo de Historia Natural sería ese mismo día. Además, Gabby y yo habíamos planeado salir disfrazadas a pedir golosinas en mi edificio antes de que me fuera a esa fiesta con mis padres. Sabíamos que estábamos un poco grandecitas para eso, pero la tradición anual era demasiado divertida para renunciar a ella.

—¿Entonces los otros estudiantes tendrán su baile el sábado? —protestó Zora Robinson, una simpática chica de octavo grado.

—¡Eso no es justo! —exclamó Roger Chang.

Roger era el secretario del consejo, el mejor amigo de Henry y el capitán del equipo de baloncesto.

—¿Y qué pasa con los que quieran salir a pedir golosinas esa noche? —preguntó Eve Epstein, la tesorera, la mejor amiga de Ashlee y la que más me atormentaba en la clase de gimnasia.

Ashlee miró fijamente a Eve.

—¿En serio, Eve? ¡No me digas que todavía sales a pedir dulces! —dijo en un tono tan helado que hizo que se me erizara la nuca.

Se hizo un silencio total.

—Ehhh... —dijo Eve con nerviosismo, jugueteando con sus brazaletes (idénticos a los de Ashlee)—. No, ¡por supuesto que no! —afirmó sonrojada, y bajó la vista hacia sus zapatillas (también idénticas a las de Ashlee).

La princesa Ashlee mantiene a sus súbditos bien controlados, escribió Gabby en mi cuaderno.

Como respuesta, hice un rápido dibujo de Eve con dos equis en los ojos y la lengua colgando. Gabby se rió.

—Pero el baile comienza recién a las siete en punto —dijo Henry, con las manos en los bolsillos de sus jeans—. Así que aquellos que quieran salir a pedir dulces tendrán suficiente tiempo.

Sonrió al hablar, y me odié por pensar que tenía una sonrisa muy atractiva.

Ashlee hizo un gesto de fastidio. Pero cuando Henry la miró, también sonrió y comenzó hablar del nuevo programa de reciclaje de la escuela. Mientras tanto, Gabby me escribió otra nota: *¡Dulces a la vista!*

Asentí, pero no tuve fuerzas para contestar. Estaba contenta de poder ir a pedir golosinas, pero la fiesta del museo también estaba programada para comenzar a las siete en punto, al igual que el baile de la escuela.

Me había hecho muchas ilusiones con la fiesta del museo. Hasta había elegido la ropa que me pondría: una falda corta de satén negro con reborde de tul y una camisa morada con volantes. Habían anunciado música en vivo, bocaditos e invitados famosos. En la última fiesta, mi mamá había conocido al alcalde de Nueva York y por lo menos a cuatro estrellas de cine.

Sin embargo, tampoco podía dejar de asistir al baile de la escuela. Sabía que Gabby y mis amigas Padma y Caitlin tenían muchas ganas de ir, y aunque no me agradaban Ashlee y su grupo, también quería estar allí. Sería tan divertido ponerme un disfraz (estaba indecisa entre uno de fantasma godo o Hermione, o podría ser una Hermione goda) y bailar con mis amigos.

Mordisqueando la punta del lápiz me pregunté qué debía hacer. ¿Ir al baile de la escuela o asistir a la fiesta de inauguración en el museo? No podía ir a los dos. Tenía que elegir uno.

Una hora después llegué a casa, ansiosa por hablar de mi problema de Halloween con papá. No había podido contárselo a Gabby porque su mamá la llevó al dentista justo después de la reunión del consejo, pero tenía la esperanza de que papá pudiera ayudarme.

Mientras dejaba mi sombrilla mojada en la entrada, escuché voces y risas que venían de la sala.

Me pareció raro. A esta hora mi papá estaba casi siempre en su estudio y mamá no llegaba hasta las seis. Me quité la mochila, sacudí mi cabello mojado por la lluvia y caminé por el oscuro pasillo. Pasé al lado de Bram, que estaba dormido sobre su gran almohadón, y entré en la sala. Lo que vi me dejó sin aliento.

Papá y mamá estaban sentados en el sofá con la mujer más estrafalaria que he visto en mi vida. Tenía la piel muy blanca, los labios muy rojos y su cabello negro estaba recogido en un elaborado moño. Llevaba un collar de terciopelo negro del que colgaba un pendiente en forma de mariposa y un holgado vestido negro y rojo. Sus largas uñas estaban pintadas de color carmesí y un delineador negro hacía que sus ojos se vieran aun más grandes.

Al verme, el rostro de la mujer se animó con una gran sonrisa.

—¡Emma Rose! ¡Querida! —exclamó con un acento muy marcado. Se levantó rápidamente del sofá—. Finalmente nos conocemos.

—Humm —dije mirando a mamá y papá, como pidiéndoles ayuda.

Tuve ganas de preguntarle a la visita quién era, pero pensé que sería descortés hacerlo.

—Acércate, mi niña —dijo mamá—. Dale un beso a tu tía Margo.

Me quedé tan sorprendida que no pude moverme. *¿Esta* era mi tía abuela Margo? No se parecía en nada a mi abuela, a la que recordaba con los cabellos plateados y muchas arrugas, aunque sus ojos grises siempre parecían tan chispeantes como los de mamá. El rostro de mi tía Margo era terso y juvenil, y sus ojos eran de color azul oscuro. Pero cuando se me acercó y abrió los brazos, observé algo tan extraño que se me heló la sangre en las venas.

La tía Margo se parecía... *a mí.*

Ciertamente era una versión más madura y más bonita de mí misma. Pero el parecido era innegable. Mientras Margo me envolvía en un abrazo, me pregunté si también habría notado el parecido. Me abrazó tan fuerte que casi me quedo sin aire. Su mejilla, apoyada contra la mía, estaba fría, pero el abrazo fue cálido y acogedor. Su perfume olía a flores.

Cuando se alejó, mis ojos se detuvieron en el pendiente de mariposa que llevaba al cuello. De cerca pude ver que no era exactamente una mariposa. Las alas negras tenían una forma torcida que me resultaba familiar.

—Es... ¡un murciélago! —exclamé, e inmediatamente me sentí avergonzada.

¿Era eso lo primero que se me ocurría decirle a mi tía? Traté de disimular.

—Quiero decir, es muy bonito —añadí honestamente, observando el diminuto objeto adornado con piedrecillas.

El pendiente era algo que sin duda yo hubiera comprado para mí.

Una sonrisa apareció en el rostro de mi tía. Detrás de sus labios rojos, sus dientes lucían muy blancos.

—Te gusta, ¿verdad, querida? Entonces tienes que ver mi colección.

—Oh, ¿eres diseñadora de joyas? —pregunté.

Siempre había pensado que había heredado mi habilidad artística de papá, pero tal vez la había heredado de mi tía Margo.

—No, Margo es bióloga —interrumpió mamá, acercándose.

Me sentí un poco decepcionada. Hubiera deseado que esta tía que acababa de conocer tuviera un trabajo más glamoroso.

—Es más, es una bióloga famosa —añadió mamá—. Es la principal experta en el *Desmodus rotundus* en Rumania.

—¿Qué es eso? —pregunté deseando haber prestado más atención en la clase de ciencias.

Tía Margo volvió a sonreír.

—Es el murciélago común, el vampiro —dijo.

Sentí que se me ponía la piel de gallina.

—Pero, ¿no son esos los que chupan la sangre de la gente?

La voz me temblaba. Recordé haber visto parte de un especial de Halloween sobre el asunto en el canal *Discovery*.

—Sí, pero no te preocupes —dijo papá poniéndose de pie—. Los que Margo ha traído con ella llevan mucho tiempo muertos.

—¿Traído? —repetí mirando a mi alrededor.

¿Había murciélagos en el apartamento? Estaba espantada, pero al mismo tiempo sentía una extraña fascinación.

—Están en el cuarto de huéspedes —explicó papá, sonriendo al ver mi expresión—. Margo también es experta en taxidermia, que es el arte de tratar y rellenar la piel de un animal muerto para que parezca vivo.

—¿Como los del museo? —pregunté, recordando los osos, lobos y venados que se exhiben en el Museo de Historia Natural. Me había criado viendo esos animales, pero nunca me había puesto a pensar en que no eran estatuas. Alguna vez estuvieron vivos.

—Exactamente —dijo mamá—. Esa es la contribución de Margo para la exhibición de Criaturas Nocturnas. Nos ha traído la mayor colección de murciélagos disecados que existe en el mundo.

Ahora lo comprendía. A eso se refirió mi tía cuando habló de su "colección". Sentí una fuerte agitación. El cuarto de huéspedes estaba al lado de mi dormitorio. Tal vez echaría un vistazo más tarde.

Tal vez.

Tía Margo me miró y levantó una ceja, como si pudiera adivinar mis pensamientos. Rápidamente alejé la mirada. Estaba pensando en el mensaje que le enviaría a Gabby más tarde: *Mi tía es un poco rara. Inclusive más rara que yo.*

—Bueno, basta de hablar de trabajo —dijo mamá entusiasmada—. ¿Quién tiene hambre?

—Estaba pensando en preparar unas hamburguesas —dijo papá—, ¿les gusta la idea?

—Yo prefiero una hamburguesa vegetariana —respondió mamá.

Pensé que seguramente Gabby la había influenciado.

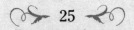

—Yo quiero la mía medio cruda —pedí.

—Sí, yo también la prefiero medio cruda —dijo tía Margo, poniendo una mano delicadamente sobre su estómago—. Será maravilloso comer comida de verdad. La que sirven en los aviones deja mucho que desear.

En el comedor, la mesa ya estaba puesta para cuatro personas y sobre ella había una gran fuente de ensalada. Cuando pasamos cerca de Bram, que aún descansaba sobre su almohadón, este se despertó de un salto.

—Seguro que escuchó la palabra hamburguesa —rió papá, agachándose para acariciarlo.

Observé a nuestro perro, y noté algo extraño en su comportamiento.

Bram miró a mi tía y comenzó a gruñir. Luego abrió la boca, echó la cabeza hacia atrás y emitió un fuerte aullido. Nunca había oído a Bram (ni a ningún otro perro) aullar de esa manera. Antes de que papá pudiera detenerlo, Bram saltó de su almohadón y salió corriendo hacia el pasillo.

—¿Qué pasó? —exclamó papá siguiendo a Bram con la mirada.

—¡Vaya! —dije mirando a mi tía abuela—. Creo

que Bram ha encontrado a alguien que le disgusta más que yo.

—¡Emma Rose! —me regañó mamá.

Pero mi tía sonrió y me tomó de la mano. Sus dedos, al igual que su mejilla, estaban fríos, pero una vez más su gesto fue cálido y me hizo sentir segura.

—Tienes razón, querida —dijo sonriendo—. ¿Qué puedo decir? Nunca me he llevado bien con los perros.

—Tampoco yo —dije, y nos sentamos a la mesa.

Papá fue a la cocina a preparar las hamburguesas y mamá le echó un vistazo a la ensalada.

—Querido —le preguntó a papá—. ¿Qué condimento le has puesto a la ensalada?

—El italiano. ¿Por qué?

Mamá suspiró, levantando la fuente para llevarla a la cocina.

—Entonces no podemos servirla —dijo—. Margo es alérgica al ajo.

—¿Verdad? —le pregunté a mi tía, sintiendo celos—. Yo detesto el ajo. Me gustaría ser alérgica porque entonces mamá dejaría de obligarme a comerlo.

—El ajo es muy saludable —dijo mamá desde la cocina.

Tía Margo se inclinó sobre la mesa, mirándome con una sonrisa traviesa.

—Saludable, pero repugnante, ¿no? —murmuró.

Le sonreí. Por primera vez en mi vida sentí que finalmente alguien de mi familia me comprendía. Y me sentí feliz de que mi tía Margo hubiera venido a visitarnos.

Aunque fuera un poco extraña.

Capítulo tres

Durante la deliciosa cena de hamburguesas cocinadas a la perfección, mi tía Margo habló de su ciudad natal en Rumania. Se trata de una pequeña aldea llena de estrechas calles empedradas y situada en los montes Cárpatos y, a juzgar por lo que contó, simplemente encantadora. Describió frondosos bosques, ríos de aguas claras y transparentes y castillos antiguos.

Mientras hablaba (y mamá rememoraba las fotografías que sus padres le habían mostrado), miré por la ventana la ciudad que nos rodeaba. Aunque adoro los altos edificios y las aceras de Manhattan, me fascinaba la idea de un lugar como ese, rural y tranquilo... el lugar donde habían vivido mis antepasados. De pronto, me di cuenta de que mi tía Margo me había dado un punto de partida para mi proyecto de estudios sociales.

Entusiasmada, ayudé a lavar los platos y pedí permiso para retirarme a mi cuarto. Al entrar, tomé mi laptop y me senté en la cama con las piernas cruzadas.

Abrí Google, y escribí el nombre del pueblo de mi familia en Rumania. Tuve que hacerlo dos veces porque no sabía cómo deletrearlo correctamente, pero finalmente lo encontré. Luego entré a la página de Wikipedia; mostraba una bonita foto de los bosques que había mencionado mi tía y cierta información básica: población, mapa, coordenadas y clima. A medida que avanzaba en la página, vi una frase que me dejó paralizada.

Este pequeño poblado, ubicado en la región antes conocida como Transilvania, aún es la cuna de muchas leyendas de vampiros.

No podía creerlo. ¿Transilvania? ¿Donde vivía el conde Drácula? No tenía idea de que mi familia viniera de allí. Intrigada, seguí leyendo, pero en eso escuché un timbre que me indicó que había un mensaje de Gabby en el chat.

¡Malas noticias!, había escrito. El dentista dijo que necesito aparatos para alinearme los dientes. ☹

Todavía estaba preocupada por el asunto de Transilvania, pero traté de prestar atención al problema de mi mejor amiga.

¡Tremenda mala mordida!, escribí, intentando hacerla sonreír.

Su respuesta apareció inmediatamente: No tiene gracia. Por supuesto que tú puedes tomarlo a broma, tienes dientes perfectos.

Meneé la cabeza. Aunque hacía poco mi dentista había dicho que no necesitaría aparatos (celebré la noticia con un banquete de dulces que me hicieron tres caries), mis dientes estaban lejos de ser perfectos. Me incliné un poco para quedar frente al espejo de mi cómoda y sonreí exageradamente. Allí estaban, en las esquinas de mi boca, aquellos dos dientes tan puntiagudos que me avergonzaba mostrarlos. El dentista los llamó "incisivos", e inclusive comentó que los míos eran más afilados que los de la mayoría. Sabía que estaba siendo amable al no llamarlos lo que realmente eran: colmillos.

Escuché otro timbre y volví a mirar hacia mi computadora.

Gabby había añadido: Y tus colmillos no cuentan.

Me pareció que estaba deprimida, y decidí llamarla. Conversamos un rato, hablamos de tía Margo (Gabby la calificó oficialmente de estrafalaria), de si debía ir al baile o la fiesta del museo (definitivamente el baile, declaró Gabby) y de aparatos para alinear dientes (busca los de colores y úsalos como algo que está de moda, le aconsejé). Cuando nos despedimos ya era tarde, así que terminé el cuento de Edgar Allan Poe que tenía que leer para la clase de inglés, me cepillé mis dientes imperfectos y me acosté.

Pero, por supuesto, no pude dormir.

Primero me puse de costado, luego bocabajo, luego de espaldas. Las luces de los autos que pasaban proyectaban extrañas sombras en el techo de mi habitación. Las gotas de lluvia sonaban como dedos golpeando mi ventana. Pensé en Edgar Allan Poe, en Halloween, en Henry Green (solo por un segundo), en mi tía Margo y en el proyecto de investigación genealógica. Luego recordé la página de Wikipedia que había dejado a medio leer y me senté en la cama.

Sin encender la luz, me levanté despacio y caminé hasta el escritorio. Abrí mi laptop y volví a la página donde me había quedado:

Este pequeño poblado, ubicado en la región antes conocida como Transilvania, aún es la cuna de muchas leyendas de vampiros. Una de esas leyendas habla de cierta raza de vampiros que pueden cambiar de forma y convertirse en murciélagos que chupan la sangre de humanos y animales. Hace muchos años, los pobladores sentían tanto miedo de estas criaturas que colgaban enormes sartas de ajo en sus puertas, ya que se decía que el olor ahuyentaría a las temibles criaturas.

¡BAN!

El ruido me hizo incorporarme tan rápido que casi tumbo la silla. No había sido un trueno ni una de las muchas sirenas que acostumbraban a sonar a toda hora en la ciudad. Ni siquiera había venido de afuera. Había venido del cuarto de al lado.

Del cuarto de huéspedes.

Tal vez mi tía Margo también tenía dificultad para conciliar el sueño. Tal vez estaba desempacando y las dos podríamos compartir una merienda de medianoche. Tal vez hasta podríamos hablar de las leyendas de vampiros de su ciudad. Tenía curiosidad por saber más. Para alguien que disfrutaba de las historias de horror, sabía muy poco sobre los vampiros.

Caminé en puntas de pie por el pasillo. En algún lugar del apartamento había una ventana abierta, mis pijamas eran muy delgados y estaba temblando de frío. A medida que mis ojos se adaptaron a la oscuridad, vi que Bram estaba dormido en su almohadón y la puerta del dormitorio de mis padres estaba cerrada. Pero la puerta del cuarto de huéspedes estaba entreabierta.

Me moví con el mayor sigilo posible. Luego me detuve. El cuarto de huéspedes estaba oscuro y la ventana que está en un extremo de la habitación estaba abierta. La brisa húmeda mecía las cortinas de gasa, haciéndolas bailar como fantasmas inquietos. Una pila de elegantes maletas estaba en el piso y el aroma del perfume floral de mi tía invadía el ambiente. Pero ella no estaba allí. La cama aún estaba tendida y el cuarto estaba vacío.

Excepto por las jaulas llenas de murciélagos.

Al entrar, traté de recordar que solo eran murciélagos disecados. Aguanté la respiración, asustada ante la presencia de esas criaturas oscuras y silenciosas. Los murciélagos colgaban de cabeza de las barras de las jaulas, con las gruesas alas plegadas contra sus peludos cuerpos y los ojos cerrados.

"Como si estuvieran dormidos", pensé sobresaltada.

Mi tía Margo era aun más rara de lo que había pensado. Me pregunté si todas las noches colocaba a sus murciélagos en esas poses, como si fueran muñecas o mascotas. ¿Y dónde estaba *ella*? No podía haber salido bajo la lluvia. ¿Estaría en la cocina?

Antes de que pudiera darme vuelta para salir, la luz de un rayo invadió por un instante la habitación y me asustó. Durante un segundo, la jaula más cercana se iluminó y vi que la puerta estaba abierta. Ese debe de haber sido el ruido que escuché antes: el viento abriendo la puerta de la jaula. Me incliné para cerrarla.

De pronto, uno de los murciélagos abrió los ojos.

Unos ojitos rojos y brillantes.

Sentí que se me aflojaban las piernas. Sin tiempo para pensar, salí corriendo del cuarto de huéspedes hasta el pasillo. Me recosté contra la pared y respiré agitadamente.

"Cálmate, Emma Rose", me dije.

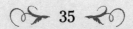

Pensé que si Gabby estuviera junto a mí habría dicho que yo tenía una gran imaginación y que la luz de la luna me estaba jugando una broma, que mi mente estaba llena de lo que había leído en Internet sobre vampiros y murciélagos y que debería volver a la cama porque era imposible que esos animalitos estuvieran vivos.

Pero entonces, ¿por qué estaban en jaulas?

La curiosidad me venció.

Sin despegarme un milímetro de la pared, volteé la cabeza y miré dentro del cuarto en el que se hospedaba mi tía. No quería volver a entrar allí.

Se me heló la sangre.

Un murciélago negro con alas largas y grasientas entró volando por la ventana abierta y se posó en el umbral. Sus ojos estaban fijos en los otros murciélagos de las jaulas. Como un reloj, todos los animales se despertaron y comenzaron a desplegar las alas. Hasta bostezaron, mostrando sus afilados colmillos.

Y entonces...

El murciélago de la ventana comenzó a transformarse. Sus alas desaparecieron y fueron reemplazadas por brazos largos y elegantes. El pequeño cuerpo peludo se alargó y comenzó a adquirir forma humana. Mientras lo contemplaba con los ojos desorbitados y el pulso acelerado, las grandes orejas del animal se encogieron y la pequeña cabeza de murciélago comenzó a convertirse en un rostro humano. Un rostro humano *que yo conocía.*

El rostro de mi tía Margo.

Me tapé la boca con las manos para sofocar un grito. Lo único que deseaba era salir corriendo, pero mis piernas no me lo permitían.

"Por favor, que no sea más que otra de mis pesadillas —me repetía una y otra vez—. Por favor, que mamá me llame. Por favor que pueda despertar en mi cama".

Pero no desperté. Me quedé parada allí, temblando de pies a cabeza, con la mirada fija en mi tía, que ya no tenía forma de murciélago. Ahora estaba parada frente a la ventana observando las jaulas. Lucía exactamente como cuando llegó, con el vestido negro y el cabello recogido en un moño. Pero esta vez el rojo de sus labios casi parecía ser... sangre.

"¿Qué podía hacer? —pensaba—. ¿Gritar pidiendo ayuda? ¿Despertar a mamá y papá?"

Aunque hubiera querido hacerlo, mi garganta estaba seca y no me salía la voz.

Lentamente, mi tía Margo desvió la mirada de los murciélagos y, aterrorizada, me di cuenta de que estaba a punto de verme. Finalmente pude moverme. Me volteé y corrí a mi dormitorio. Aún con las manos temblorosas cerré la puerta, me escondí bajo las cobijas y traté de calmarme.

¿Había visto eso realmente? ¿Me había visto ella? ¿Me estaba volviendo loca? ¿Vendría a tocar a mi puerta?

Mi mente volaba desenfrenada, al igual que mi corazón.

Después de pellizcarme (muy fuerte) para comprobar que realmente *estaba* despierta, esperé un rato para asegurarme de que mi tía no vendría a buscarme. Saqué la cabeza de entre las cobijas. El apartamento estaba tan silencioso como antes de aquel horrible ruido. No se escuchaban voces ni el sonido de alas batiendo. Si me concentraba bien, lo único que podía escuchar eran los ronquidos de papá.

¿Qué estaba sucediendo en el cuarto de huéspedes? ¿Acaso los murciélagos también se habían transformado? ¿Habrían salido volando en la noche?

Sobre mi escritorio, la pantalla de mi laptop seguía encendida.

Todo había ocurrido tan rápidamente que mi computadora no había tenido tiempo de apagarse.

Sabía que esa noche no lograría dormir. Pero tampoco podía salir de la cama y volver a leer la página de Wikipedia. Además, no estaba segura de necesitarlo. Recordaba casi todas las frases, y las palabras me daban vueltas en la cabeza.

Criaturas con colmillos. Sartas de ajo. Vampiros que pueden transformarse en murciélagos.

Vampiros que pueden transformarse en murciélagos... en la ciudad donde vive mi tía Margo. La tía que era "alérgica" al ajo.

Me quedé inmóvil en la oscuridad mientras afuera continuaba la tormenta. Toda mi vida había sospechado que existían secretos detrás de las cosas ordinarias, que había mucho más que lo que podíamos percibir, y ahora tenía evidencia de ello.

Esa realidad me vino de un golpe, como un rayo. Era tan absurda, pero tan obvia que no podía negarla.

Mi tía era mucho más que una persona rara.

Era un vampiro.

Capítulo cuatro

—¿Qué sucede, mi niña?

La luz invadió el cuarto y mamá se inclinó sobre mi cama preocupada. Yo estaba acostada de espaldas, con mi cuaderno sobre el pecho. La noche anterior había comenzado a dibujar para calmarme y debí de haberme quedado dormida. Ahora mi cabello estaba sudoroso y enredado, y apenas podía abrir los ojos. Comprendí la preocupación de mamá, esto era mucho peor que mi habitual mal humor matinal.

"¿Qué sucede? —pensé—. Bueno, mami, creo que mi tía es un vampiro, y me parece que todos deberíamos comenzar a cubrirnos el cuello. Ah, y también colgar ajos por todas partes".

Pero estaba demasiado agotada para responder.

—Nunca te he visto tan pálida —dijo tocándome la frente—. Tal vez estés pescando un resfriado. ¿Quieres faltar a la escuela hoy?

En otras condiciones, esas palabras me hubieran llenado de alegría y ganas de quedarme en cama, especialmente en un día tan soleado como este. Pero ahora, la sugerencia de mamá solo sirvió para angustiarme. No quería quedarme cerca de los murciélagos vampiro. Había visto demasiado la noche anterior para sentirme segura en mi propia casa.

Y tenía que advertir a mis padres.

Traté de levantar la cabeza.

—Tía Margo... —comencé a decir, sintiendo que me recorría un escalofrío al mencionar su nombre.

—Oh, ella no está en casa.

Sentí un enorme alivio al escuchar esto. Tal vez había volado (literalmente) de vuelta a Rumania.

—Salió muy temprano —continuó mamá—. De hecho, antes del amanecer llevó sus murciélagos al museo. Dentro de un rato tengo que reunirme con ella, pero si quieres puedo ir más tarde. Tu papá tiene que trabajar y estará en el estudio todo el día.

Entré en pánico.

—Mamá, no vayas al museo —dije—. No por mí, sino por los murciélagos. Son reales. Son peligrosos. En realidad, deberías llamar al museo y decirles...

Hice un esfuerzo por enderezarme, y mi cuaderno de dibujo se resbaló y cayó al suelo. Mamá se agachó para levantarlo. Miró la ilustración que había comenzado a hacer a media noche: una mujer con cabeza y alas de murciélago. No había podido evitarlo, tenía que dibujar lo que había visto. Dibujar siempre me ayuda a encontrar sentido a las cosas, inclusive a las que no tienen sentido.

—¿Lo ves? —dije desesperadamente, señalando el dibujo—. Anoche fui al cuarto de tía Margo y vi algo realmente espantoso.

—Emma Rose —suspiró mamá poniendo mi cuaderno de dibujo sobre la mesa de noche y mirando las paredes empapeladas con calaveras y el libro de Edgar Allan Poe que estaba en mi escritorio—. Sé que te gustan estas cosas tenebrosas y macabras. Y como tu tía es un poco excéntrica, te divierte inventar historias. Pero te has enfermado por estar dibujando hasta tan tarde.

"¿Me divierte?" ¿Estaba hablando en serio?

—Mamá, ¡no estoy enferma! —dije—. Y no estoy inventando nada. Tía Margo es un...

—Recuerdo que cuando eras pequeña —interrumpió mamá con una sonrisa— acostumbrabas decir que nuestro edificio estaba embrujado. ¡Eras muy graciosa!

Qué frustración. Debería haber sospechado que mi mamá no me creería. Entonces se me ocurrió algo. Tal vez mamá ya sabía la verdad sobre tía Margo. Era su sobrina, después de todo. A lo mejor hasta mi abuela le había hablado de la identidad secreta de su hermana hacía muchísimos años, y mamá estaba actuando así para proteger el secreto.

Pero cuando examiné el rostro de mi madre, su expresión seguía siendo la misma, divertida y un poco preocupada. Pero no preocupada por pensar que yo había descubierto un tenebroso secreto de familia; simplemente preocupada de que su hija estuviera un poco chiflada.

Además, cuando me ayudó cariñosamente a recostar la cabeza sobre la almohada, pensé que si ella supiera quién era realmente la tía Margo, no hubiera permitido que papá y yo nos expusiéramos a semejante peligro. Al menos eso pensé.

¿Y por qué tía Margo no nos atacó durante la noche? Otra interrogante sin respuesta. ¿Existía tal vez alguna norma, entre vampiros, que decía a quién se podía atacar y a quién no?

Estaba tan ensimismada en estos pensamientos que olvidé protestar cuando mi mamá me cubrió con la cobija.

—Necesitas descansar —dijo—. Llamaré a la escuela para decirles que hoy faltarás porque estás enferma. Papá estará en casa, pero puedes llamarme al trabajo si necesitas algo.

"No, ¡tú eres la que deberás llamarme si los murciélagos de tía Margo resucitan y comienzan a chuparles la sangre a los empleados del museo!", pensé.

Cuando mamá salió, se me ocurrió que debí haberle dicho que me sentía bien. Una parte de mí estaba muerta de ganas de ir a la escuela con Gabby y pasar un día perfectamente normal. Pero al mismo tiempo, un día *normal* ya no parecía ser una alternativa. ¿Cómo podría concentrarme en la clase de estudios sociales y de gimnasia si estaba preocupada por cosas como colmillos y sangre? Salí de la cama arrastrándome y le escribí un mensaje a Gabby diciéndole que no me sentía bien. Pensé que podría contarle la verdad a mi mejor amiga cuando terminara las clases ese día.

Salí de mi cuarto, respiré profundo y eché una mirada al cuarto de huéspedes. Ya no estaban allí las jaulas de murciélagos y el equipaje de mi tía Margo estaba en un rincón. La habitación clara y soleada no hubiera podido parecer más inocente. Por un segundo me pregunté si había imaginado, o soñado, los horrores de la noche anterior.

En la cocina, papá me había preparado una taza de té caliente y dos tostadas. Parecía tenso por su trabajo, y consideré poco conveniente mencionar el asunto. Le sugerí servir algo con ajo esa noche, me miró con extrañeza y me tocó la frente, como lo había hecho mamá. Luego sacó a Bram a pasear, dejándome sola en la cocina con la televisión como única compañía.

Como siempre, papá había estado viendo el canal de noticias locales. Bebí un sorbo de té y miré distraídamente la pantalla. Y entonces tuve una reacción tardía. La reportera de noticias estaba en una esquina del Parque Central y la calle 88, justamente en nuestro barrio (tal vez vería a papá y a Bram en el fondo). Se veía muy seria.

—Los residentes del Upper West Side están

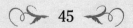

alarmados por el macabro descubrimiento que hizo un caminante muy temprano esta mañana —dijo—. Los cadáveres de varias ardillas y mapaches fueron encontrados en el Parque Central, no lejos de la calle 88. Todos los animales exhibían en sus cuellos las mismas extrañas marcas de colmillos. Algunos residentes piensan que tal vez algún animal salvaje se escapó del zoológico.

Mis manos comenzaron a temblar a tal punto que derramé un poco de té caliente.

Una señora mayor que reconocí porque vive en mi edificio apareció en la pantalla.

—Recuerdo que algo parecido sucedió hace trece años —dijo—. En aquella ocasión no hallaron al depredador, pero espero que esta vez lo atrapen.

Al lado de la cámara estaba un vendedor de perros calientes.

—Es como para asustarse —dijo—. Parece que fue un halcón. O quizás un jaguar.

Un escalofrío me recorrió de pies a cabeza.

"O podría ser un vampiro", pensé. O mejor dicho, muchos vampiros. Murciélagos vampiro. Me los imaginé volando desde nuestro apartamento hasta la oscuridad del parque.

—Se recomienda a los residentes de la zona

evitar caminar por el parque de noche —dijo la reportera—. Los mantendremos informados sobre cualquier otro incidente.

Siguió el pronóstico del tiempo, y me quedé sentada en el borde de la silla con el corazón casi saliéndose de mi cuerpo. Era demasiada coincidencia: la ubicación, el momento, los mordiscos. Mi tía Margo y sus murciélagos "disecados" tenían que ser los culpables de esos ataques.

Pero al mismo tiempo no quería creerlo. Es cierto que la vi en forma de murciélago, pero aun así no podía concebir a mi tía abuela (con su cálida sonrisa y su abrazo cariñoso) chupándoles la sangre a criaturas inocentes. Con horror me pregunté de qué *otra cosa* sería capaz, y si existía una manera de detenerla a ella y a sus amigos vampiros sin causar histeria general en las calles de Nueva York.

Tenía que seguir averiguando. Dejé la taza de té en el mostrador de la cocina y, de repente, mi pánico y mi confusión fueron reemplazados por el valor. Como no iría a la escuela, podía aprovechar el tiempo libre para investigar sobre los vampiros. Así tendría más información a la hora de hablar con mis padres, o (ufff...) confrontar a mi tía.

Papá volvió con Bram, y no mencionó haber visto reporteros de noticias en el vecindario. En lugar de ello se fue a su estudio y Bram se acurrucó sobre su almohadón, mirándome. Era la oportunidad perfecta para ir a mi cuarto y ponerme a trabajar.

Una vez allí, bajé la cortina para bloquear la luz del sol. Luego me senté frente a mi escritorio y encendí mi laptop. Mi corazón dio un salto cuando reapareció la página de Wikipedia, pero no encontré nada aparte de lo que ya había leído la tarde anterior. Probé escribir en Google el nombre del pueblo de donde venía mi familia, junto con la palabra *vampiros*.

Me quedé sin aliento. Casi un millón de resultados. Vi que algunos sitios repetían lo mismo que Wikipedia mientras que otros mencionaban que el propio conde Drácula había pasado por el poblado. Luego vi un enlace con letras rojas y una ilustración antigua de un hombre con capa negra, mostrando los colmillos, inclinado sobre una mujer a punto de desmayarse. Debajo del dibujo había una lista titulada "Características comunes de los vampiros":

- *Tienen aversión a la luz del sol.*
- *Son nocturnos, solo cazan de noche.*

- *Su piel es muy blanca y fría al tacto.*
- *No se reflejan en los espejos, ni aparecen en fotografías.*
- *No pueden envejecer más allá de cierta edad. Son inmortales.*
- *Les gusta chupar sangre y comer carnes crudas.*
- *Poseen una fuerza sobrehumana.*
- *Tienden a asustar a los animales domésticos, como gatos y perros.*
- *Pueden convertirse en murciélagos.*

Me quedé abrumada. Esa última característica era la más convincente. Mi tía Margo era exactamente lo que yo había pensado.

Es verdad que no tenía evidencia (todavía) de que no se reflejara en espejos o en fotografías. O de que fuera inmortal. Pero definitivamente su piel era blanca y fría. A juzgar por el abrazo que me dio el día anterior, era muy fuerte. Ciertamente asustó a Bram, y había pedido su hamburguesa medio cruda.

"Un momento...", pensé.

Me detuve con los dedos en el teclado, y comencé a percibir una sensación de frío en el estómago.

Mi tía prefería las hamburguesas medio crudas, y era pálida, y Bram la odiaba...

Igual que... yo.

El frío se extendió hacia mis piernas y se me hizo difícil respirar. Traté de calmarme. Volví a leer la lista, desde el comienzo, concentrándome en cada detalle.

Conocía la palabra *aversión*; había estado en nuestro examen de vocabulario la semana pasada. Significaba desagrado o algo así. A mí me desagradaba la luz del sol. Es decir, le tenía aversión, ¿cierto?

"Eso coincide", me dijo una vocecilla en mi cabeza.

Aguanté la respiración y seguí leyendo la lista.

Son nocturnos. Otra palabra grande, pero la lista explicaba su significado; tenía que ver con la noche.

La noche, cuando me siento más despierta, cuando mis ideas son claras y mis sentidos están alerta. Casi como si estuviera lista para... ¡cazar!

"No."

Pequeños temblores me recorrían los brazos como arañas. ¿Qué me estaba sucediendo? ¿En qué pensaba? Tenía que concentrarme en mi búsqueda: se suponía que estaba haciendo una investigación sobre los vampiros. Yo no era como mi tía Margo.

Seguí leyendo por la página y al final llegué a un párrafo que leí de un tirón:

La región de los montes Cárpatos, histórica-mente llamada Transilvania, cuyo significado literal es "al otro lado del bosque", ha albergado durante mucho tiempo dinastías de grandes vampiros. La leyenda cuenta que las hijas e hijos de antiguas familias comenzaban a mostrar las características antes menciona-das a los doce años, y poco después se convertían en vampiros maduros. También se cree que el vampirismo se hereda por la línea materna, y que a veces puede saltarse generaciones.

Me quedé como hipnotizada, con la mirada fija en la pantalla. La palabra *materna* también estuvo en el examen de vocabulario. Significa por parte de madre.

Margo era tía de mi mamá.

Lo cual significaba...

Mi corazón latía descontroladamente.

Mi abuela no hubiera podido ser vampiro, había muerto, y si los vampiros no envejecían y vivían eternamente, eso la descartaba automáticamente. En cuanto a mamá, era imposible que fuera vampiro. Le gustaban las hamburguesas vegetarianas (con ajo), y la luz del sol. Dormía plácidamente por la noche. Bram la quería, y además era... *mi mamá*.

Eso solo dejaba a una persona por considerar.

Tragué en seco.

Yo.

Aturdida, salté y me paré frente al espejo. Allí estaba, con el pijama arrugado y el cabello negro sujetado en una cola desordenada. Mi piel era tan blanca como la de un fantasma, y mis ojos azul oscuro (tan parecidos a los de mi tía Margo) parecían llenos de terror.

"¡Puedo ver mi reflejo! —pensé. Pero luego abrí la boca hasta que pude ver mis afilados colmillos—. Eso también coincide".

Tenía muchas cosas en común con mi tía: no podía conciliar el sueño, los colmillos... Y creo que tenía prácticamente todas las características mencionadas en esa lista.

Sentí que el corazón se me salía del cuerpo.

"¿Es por eso que soy como soy?", me pregunté.

Observé mi cuarto. Todo parecía muy normal: la cama desordenada, el cuaderno de dibujo, las cortinas moradas, el librero. Pero ya nada me parecía igual que antes.

Lo que había descubierto la noche anterior sobre mi tía me había impresionado muchísimo. Sin embargo, sabía que había mucho más. Cosas que no hubiera podido imaginar en un millón de años.

Capítulo cinco

—Soy un vampiro.

Gabby dejó la puerta de su casa entreabierta y me miró con la boca abierta.

Repetí lo que acababa de decir, con la cabeza erguida y tratando de que mi voz sonara calmada.

—Soy un vampiro —afirmé.

Mi amiga me miró con los ojos bien abiertos. Luego, lentamente, sonrió.

—¡Es una idea excelente! —declaró divertida, dando saltitos—. ¡Un vampiro! ¿Por qué no se me ocurrió antes? Tienes la piel muy blanca, solamente tienes que pintarte la boca con algo que parezca sangre y ponerte unos colmillos de plástico. ¡Tendrás el mejor disfraz de Halloween!

Siguió hablando hasta que se dio cuenta de que no bromeaba. Estaba muy seria y no dije nada más. Me quedé allí parada, con mis grandes lentes de sol y mi mochila al hombro.

Durante la mañana me había percatado de dos cosas: no podría enfrentarme a la tía Margo esa noche (¿y si supiera que yo también soy vampiro y me invita a ir de caza con ella?) y debía hablar del asunto con Gabby lo antes posible.

Había sido una tortura esperar a que pasara el tiempo, pero tan pronto mi reloj marcó las dos y media, me puse en acción. Saqué mis jeans, zapatos negros y suéter gris, y eché algunas cosas en mi mochila. Entonces llamé a la puerta del estudio de papá y le pedí permiso para quedarme en casa de Gabby esa noche. Por suerte, papá estaba demasiado ocupado en su trabajo para hacerme preguntas. Solo me dijo que más tarde lo llamara para saber de mí.

—¿Aún te sientes mal? —preguntó Gabby, observándome con la misma expresión preocupada que mamá y papá habían mostrado esa mañana. Me tomó del brazo y me llevó dentro de la casa—. Te echamos de menos en la escuela hoy. ¿Estás resfriada?

—Estoy enferma —susurré, quitándome los lentes con las manos temblorosas—, pero no es lo que imaginas.

Gabby levantó las cejas.

—Me estás asustando.

"Y eso que no sabes ni la mitad de la historia", pensé.

Un fuerte grito en la sala me hizo saltar y llevarme la mano al corazón.

—¿Quién está ahí? —susurré, mirando por encima del hombro de Gabby. Estaba tan asustada que esperaba ver una nube de murciélagos.

—Carlos, por supuesto. —Gabby puso los ojos en blanco, como acostumbra hacer cuando se trata de su hermano menor—. Está quirúrgicamente atado a su Wii. Sobre todo cuando mis padres están en el trabajo. Ni siquiera nos permitiría tocar un...

—Tenemos que hablar —la interrumpí—. En privado.

—Está bien —asintió Gabby sin dejar de mirarme como si tuviera dos cabezas.

Me llevó a su pequeña habitación pintada de color verde, y cerró la puerta. Respiré profundo y solté mi mochila, que cayó al suelo estrepitosamente.

—¿Qué llevas allí? —me preguntó mientras retiraba de su cama un plato con trozos de banana, su acostumbrado y aburrido refrigerio para después de clases—. ¿Un cadáver?

No hubiera podido decir nada peor.

Rompí a llorar.

—¡Oh, no, Em! —exclamó Gabby, corriendo a abrazarme—. ¿Qué te pasa? Por favor cuéntame, me estás angustiando.

—Si esto te angustia —dije entre sollozos—, espera a que sepas lo que realmente me pasa.

—Pss, está bien. Cálmate —me dijo con tono tranquilizador y me invitó a sentarme en la cama—. Sea lo que sea, no puede ser tan malo.

—¿Tú crees? —respondí mientras nos sentábamos—. Es peor que malo. Y tienes que prometerme que no le contarás nada a Padma, ni a Caitlin, ni a nadie en la escuela.

Padma y Caitlin son geniales, pero si conocieran mi horrible secreto probablemente se lo contarían a todas sus amigas del equipo de fútbol. Y a partir de allí, la noticia se difundiría entre los otros equipos de deportes, llegaría a los clubes académicos y muy pronto todo el colegio recibiría un boletín anunciando:

¡EMMA ROSE PALEY TIENE COLMILLOS Y ES PELIGROSA!

¿Y si Henry Green se enterara? Se me encogió el corazón de solo pensarlo.

Tampoco es que me importara...

¿Cierto?

—Por supuesto que te lo prometo —dijo Gabby tomando la caja de pañuelos de su mesa de noche.

Me sequé las mejillas con la mano.

—Muy bien. ¿Recuerdas lo que te dije en cuanto llegué?

—Sí, que querías disfrazarte de vampiro en Halloween.

Negué con la cabeza.

—No *quiero* disfrazarme, Gabby. *Soy* un vampiro. —Me soné la nariz, y luego me quedé observando a mi mejor amiga. Entonces continué—: Soy una chupadora de sangre. Drácula. Un murciélago. Ya sabes, *ese* tipo de vampiro. Solo que... real.

Finalmente lo había confesado.

Gabby se mordió el labio y luego me apartó suavemente un mechón de cabello que tenía delante de los ojos.

—Em, ¿otra pesadilla? —me preguntó en voz baja.

Negué con vehemencia, arrugando el pañuelo en las manos.

—¡Ojalá lo fuera! Sé que suena absurdo, Gab, pero... —Respiré profundo tratando de tranquilizarme—. Bueno, tal vez sea mejor que comience desde el principio.

Y así lo hice. Le conté todo a mi amiga. Cuando llegué a la parte en que el murciélago se convirtió en mi tía Margo, me di cuenta de que Gabby me miraba incrédula, pero no me interrumpió ni me hizo preguntas. Siguió escuchando mientras le hablé del reporte de noticias y mis averiguaciones en Internet.

—¿Ves? —le dije al final, exhausta de tanto hablar—. Todo coincide. Absolutamente todo.

Al comienzo Gabby no respondió. Me estudió detenidamente, con los brazos entrelazados alrededor de las rodillas.

—Bueno —dijo finalmente muy seria—. Analicemos todo paso a paso.

Acepté ansiosamente. Es por esto que puedo depender de Gabby. Ella mira las cosas tal y como son mientras que yo tiendo a verlas de forma dramática. Cuando se levantó para tomar un cuaderno y un lápiz de su escritorio, suspiré con alivio.

—Gab —le pregunté—, ¿esto significa que... me crees?

—Sé que no estás mintiendo, Em —replicó poniéndose unos lentes con armadura roja—. Tienes una gran imaginación, pero no creo que sea para tanto.

—¡Ay, gracias! —exclamé abrazando a mi amiga. Luego, con la misma rapidez, me alejé de ella—. Espera, ¿prefieres que no te abrace? Es decir, ¿tienes miedo de que pueda... atacarte?

La idea me hizo temblar.

—Humm —susurró Gabby, abriendo su cuaderno—. Dímelo tú. ¿Quieres chuparme la sangre?

Traté de imaginarlo: mis colmillos acercándose a la piel de...

"No. No. No." La imagen me espantó.

—De ninguna manera —respondí—. No quiero chupar la sangre de nadie, mucho menos la tuya.

—Interesante —Gabby hizo una anotación en su cuaderno—. Continuemos. Hasta donde sabes, nunca te has transformado en murciélago, ¿o sí?

—No, que yo sepa —dije, tocando mis brazos para asegurarme de que no fueran brillantes alas negras—. A menos que eso suceda de noche, cuando estoy dormida, o...

—Lo dudo —interrumpió Gabby, escribiendo algo más—. Hemos pasado muchas noches juntas. Estoy segura de que, en todos estos años, me hubiera percatado de la presencia de un murciélago en algún momento.

—Supongo que sí. Tal vez soy uno de esos vampiros que no chupan sangre ni se convierten en murciélagos. Si es que existen.

—Además, mira —añadió Gabby, señalando todas las fotos en su cuarto donde aparecíamos juntas: en un picnic en el Parque Central; otra mía sonriendo al recibir el premio de arte del año pasado; otra con Gabby, Padma, Caitlin y mis padres en mi fiesta de cumpleaños en el verano—. Tú apareces en las fotografías. No te apetece la sangre. No eres mitad murciélago. No necesito chequear esta otra, pero estoy *bastante* segura de que no eres inmortal.

Gabby hizo una pausa estudiando sus notas antes de mirarme.

—Los hechos hablan por sí solos. No eres un vampiro.

Escuché sus palabras con atención. ¿Tendría razón mi amiga? Yo había estado tan segura de ser vampiro, pero Gabby parecía estar aun más segura de lo contrario. Tal vez simplemente me apresuré a sacar conclusiones. No sería la primera vez.

—¿Y el hecho de que Bram me deteste? —grité—. ¿Por qué me odia? ¿Por qué me gusta tanto la carne? Y además soy pariente de alguien que sabemos que *es* vampiro.

Mientras hablaba, Gabby seguía escribiendo en su cuaderno, lo cual comenzaba a fastidiarme. Escuché que se abría la puerta y el Sr. y la Sra. Márquez entraron y saludaron a Carlos. Tenía la esperanza de que Gabby no les mostrara sus notas a sus padres psicólogos. Ellos probablemente recomendarían que me internaran en un manicomio.

—Bien —dijo Gabby, poniéndose el lápiz detrás de la oreja—. ¿Te acuerdas de que, cuando Bram llegó a tu casa, nosotras teníamos siete años y él era apenas un cachorro? ¿Y te acuerdas de lo *mala* que fuiste con él? Siempre lo estabas molestando, gritabas cada vez que hacía algo en el apartamento. Es probable que no te quiera por todo eso.

—Oh —dije estrujando el pañuelo, sorprendida ante los recuerdos que había evocado Gabby, cosas que yo había olvidado completamente. Pensé en lo difícil que fue adaptarme a tener un perrito—. Tienes razón.

—En cuanto a la carne, es probable que tengas una deficiencia de hierro y necesites consumir más carne que el resto de las personas —continuó Gabby—. Aunque también podrías tomar suplementos y volverte vegetariana, como yo.

Ella sonrió y yo refunfuñé.

—Finalmente, tampoco sabemos con certeza que tu tía Margo sea un vampiro —dijo—. Me parece que los ataques en el Parque Central fueron realizados por un halcón o algo parecido. Y tal vez haya una explicación razonable de por qué viste a Margo convertida en murciélago. En Manhattan viven algunos murciélagos comunes. Tal vez uno de ellos entró volando al cuarto de Margo y en la oscuridad te confundiste. ¿Por qué simplemente no se lo preguntas?

Jugueteando nerviosamente con el zíper de mi suéter, pensé: "¿Preguntárselo?". Esa opción no me había pasado por la mente ni una sola vez. Me imaginé llamando a la puerta del cuarto de huéspedes y a la tía Margo saludándome cariñosamente.

¿Qué le diría? "Hola, tía Margo, perdona que te moleste pero, ¿podrías decirme por qué te vi transformada en murciélago? Y además, ¿por qué tus murciélagos disecados abren los ojos? ¿Están vivos? ¿Acaso son inmortales?"

¿Y si se pusiera furiosa y... me mordiera?

Me toqué el cuello como para protegerlo.

—No puedo hacerlo —respondí—. No puedo preguntarle. Ni siquiera quiero verla —añadí señalando mi mochila—. Es por eso que traje mis cosas. ¿Puedo pasar la noche aquí?

—Por supuesto que puedes —dijo Gabby. Bajó la voz y sonriendo maliciosamente añadió—: Siempre que prometas no *atacarme*.

Ambas nos echamos a reír. No estaba muy convencida de que mi tía Margo no fuera un vampiro ni de que Gabby tuviera razón con respecto a mí. Pero me sentía mil veces mejor que cuando llegué a casa de mi amiga. Es por eso que ella es la mejor.

La noche había comenzado a caer, y se sintió una brisa fría en la habitación. Gabby dijo que les diría a sus papás que me iba a quedar a dormir, y recordé que también debía decírselo a los míos.

Tomé mi mochila para buscar el teléfono celular. Entonces vi una de las fotografías de Gabby en la pared. Esa en la que aparezco con mis papás y amigos en mi fiesta de cumpleaños. Todos sonreían a la cámara, y yo estaba inclinada sobre un pastel, dispuesta a soplar las doce velas.

12.

Había cumplido doce años en agosto.

De pronto se me puso la carne de gallina. Había visto otra cosa muy interesante en el sitio web, además de la lista de características y la historia de la línea materna. Cerré los ojos, tratando de recordar las palabras.

Los niños y las niñas de esas familias antiguas comienzan a manifestar esas características a los doce años, y poco después se convierten en vampiros.

Me sudaban las manos. Por supuesto que todavía me veía reflejada en los espejos y aparecía en fotografías. Por supuesto que no quería chupar sangre. Por supuesto que no me había convertido en un murciélago. No era un vampiro.

Todavía.

¿Cuánto tiempo era *poco después*? ¿Unos meses? ¿Otro año? No tenía idea, pero algo era indudable: en cualquier momento podría convertirme en un vampiro, y no podía hacer nada para evitarlo.

Capítulo seis

Había pensado que sería difícil ir a la escuela sabiendo que mi tía era un vampiro.

Pero aun peor era pensar que tal vez yo también fuera un vampiro.

Corría una brisa esa mañana. Mientras caminaba con Gabby hacia la escuela, dejé que mi amiga monopolizara la conversación. Habló de sus aparatos dentales, de Milo en la clase de ballet y del disfraz de Halloween. Había planeado vestirse de hada, pero ahora estaba pensando en disfrazarse de hombre lobo, ya que se esperaba luna llena esa noche.

Sabía que Gabby estaba tratando de distraerme, pero yo no podía pensar en otra cosa que no fueran ardillas muertas y dinastías de vampiros.

El día anterior decidí no decirle nada de lo que podría sucederme a partir de los doce años. Sabía que ella volvería a encontrar una explicación lógica y yo no tenía la energía para soportar otra sesión de terapia. Era inusual y extraño ocultarle a mi mejor amiga algo tan importante, pero pensé que podría decírselo más tarde. Cuando mi cerebro hubiera procesado todo lo que me estaba pasando.

Al llegar a la escuela, Caitlin y Padma nos esperaban cerca de las taquillas. Me inquietó un poco verlas. Aunque las quiero mucho, no estaba de humor para socializar.

—¡Hola, chicas! —saludó Padma, cerrando la puerta de su taquilla.

—¿Te sientes mejor, Emma Rose? —preguntó Caitlin con interés.

—Mucho mejor —respondí secamente—. Inclusive podría decir que siento ganas de morder.

—¿Cómo? —dijo Caitlin levantando las cejas, sin entender mi respuesta.

—Nada, todas sabemos que Emma tiene un sentido del humor bastante extraño —dijo Gabby, dándome un codazo en las costillas.

—¡Ay! —chillé al sentir el golpe.

—Tenemos tiempo antes de que suene el primer timbre —dijo Padma—. ¿Quieren ir a tomar un chocolate caliente en la cafetería?

A Padma, Gabby y Caitlin les encanta tomar chocolate caliente en las mañanas. Yo prefiero el jugo de arándanos.

Que, pensándolo bien, es rojo.

Rojo como la sangre.

—Yo no puedo —dije abriendo mi taquilla para guardar la mochila—. Tengo que... planear lo que haré para mi clase de pintura y dibujo después de la escuela.

Era una mentira. Por la forma en que me miró, Gabby se había dado cuenta de que mentía, pero no me importó. Necesitaba estar sola. Me dirigí a mi aula, donde el profesor se asombró de verme llegar, no solo puntualmente, sino antes de hora.

En el primer período tuve estudios sociales, que habitualmente es una de mis clases favoritas. Sin embargo, apenas le presté atención a la Sra. Goldsmith mientras hablaba de Internet.

—Es una herramienta excelente —dijo—, pero los sitios web no siempre tienen los datos más exactos.

Antes del próximo lunes, quiero que cada uno de ustedes visite su biblioteca local. Para la investigación genealógica, deben utilizar libros.

Al pensar en el origen de mi familia dejé escapar un gruñido sarcástico. La Sra. Goldsmith y Padma me miraron con curiosidad. Entonces, traté de disimular tosiendo.

La clase de gimnasia siempre ha sido una tortura, pero ese día estuve aun más torpe que de costumbre. Cada vez que la pelota de voleibol venía hacia mí, la perdía o respondía mal. Y cuando fue mi turno de servir no pude lanzar ni siquiera *cerca* de la red.

—¡Ufff! —gritó Eve Epstein cuando fallé por milésima vez, pateando el suelo con sus zapatillas rosadas como un bebé con berrinche—. ¿Qué es lo que te pasa, Emma Rose? ¿No puedes, para variar, hacer las cosas bien?

—¡Ufff! —la imitó Mallory D'Angelo, otra de las antipáticas amiguitas de Ashlee y Eve. Mallory no era lo suficientemente original como para crear sus propios insultos.

Miré a Caitlin, que también estaba en mi equipo, pero mi amiga se limitó a fruncir el ceño decepcionada.

Fuera del gimnasio, Caitlin es una de las personas más dulces que conozco, pero cuando está con su uniforme de deporte, se convierte en una máquina atlética y competitiva. Y yo me convierto en la amiga torpe.

Se me hizo un nudo en la garganta.

"No llores", me dije.

—¡No importa! —dijo finalmente la entrenadora Lattimore, viniendo a mi rescate—. Lo harás mejor la próxima vez, Emma Rose.

Me di cuenta de que Caitlin se había sentido mal por la escena en el gimnasio porque, a la hora del almuerzo, me trajo un pastel de chocolate. No tenía apetito y apenas comí, mientras ella, Padma y Gabby hablaban del baile de Halloween. Al masticar, la punta de mi lengua tocó uno de mis incisivos. Lo sentí muy afilado. Más afilado que nunca.

"Ay, no —pensé—. El proceso ya está comenzando".

Me llené de espanto al pensar que pronto mis orejas podrían crecer como las de un murciélago. Mi cuerpo se encogería y unas alas negras y torcidas me crecerían en la espalda. Solo entonces, me acercaría a una de mis amigas, decidida a morderle el cuello y chupar...

—Nos vemos más tarde —dije tartamudeando, y salí corriendo de la cafetería.

Gabby me llamó, pero no miré hacia atrás. Sabía que me estaba distanciando de mis amigas, y eso me hizo sentir aun peor. Pero tal vez ellas comprenderían más tarde que era por su propia seguridad.

Entré al baño de chicas, corrí hacia el espejo y observé mis incisivos. No lucían más grandes ni puntiagudos que de costumbre. Mis orejas se veían normales y no me estaba creciendo nada en la espalda. También sentí alivio al ver que aún podía ver mi reflejo en el espejo. Con dedos temblorosos, me lavé la cara con agua fría.

La puerta se abrió, y entró Ashlee Lambert meneando su cabellera rubia. Al verme, se detuvo y se llevó una mano a la cadera.

—¿Ya te vas? —me preguntó con arrogancia.

Claro, la princesa Ashlee quería que la gente inferior desocupara el baño antes de dignarse a entrar.

—Sí —respondí tan fríamente como pude, y salí.

"Ojalá que no me haya visto revisándome los colmillos", pensé. Hubiera sido muy embarazoso que lo mencionara en la reunión del consejo estudiantil al día siguiente.

En ese momento, apareció Henry Green por el pasillo con sus libros bajo el brazo. Al verme, su rostro se iluminó con una sonrisa.

—Hola, Pálida Paley —dijo.

Instantáneamente cambié de rumbo y me encaminé en la dirección opuesta, con el corazón palpitante. Ahora que conocía la causa de mi palidez, el apodo Pálida Paley tenía un significado nuevo y diferente.

—¡Oye! —me llamó Henry, pero yo caminé más de prisa. Me pareció que sonaba un poco avergonzado, pero tal vez era idea mía.

Las cosas no mejoraron el resto del día. La clase de ciencia era sobre los insectos, y cuando la profesora se refirió a los mosquitos como "sedientos chupadores de sangre", quise meterme debajo de mi escritorio. En la clase de inglés se habló del cuento de Edgar Allan Poe. La profesora, la Sra. Tiller, habló largamente sobre el miedo.

—El escritor hace todo lo posible por crear una gran ansiedad en el lector —explicó—. Uno sabe que algo horrible va a suceder, pero no sabe qué o cuándo sucederá.

Asentí con la cabeza de manera tan entusiasta que me sentí como una muñeca con un resorte en el cuello. La Sra. Tiller me miró levantando las cejas, y dejé de asentir.

"Algún día —pensé—, se contará una historia de horror sobre mí".

La idea de ir a casa también me aterraba, por eso agradecí que ese día tuviera clases de dibujo y pintura en la calle 92. Pero mis temores me persiguieron hasta allí. Nos encargaron dibujar un autorretrato, y antes de darme cuenta, me había dibujado con alas y orejas de murciélago, en media metamorfosis. A mi profesor, el Sr. Currin, le gustó el dibujo y lo llamó "una fascinante interpretación de la transición entre la niñez y la edad adulta". Si tan solo hubiera sabido la terrible verdad...

Hubiera querido quedarme en la clase de dibujo y pintura para siempre, pero al final tuve que volver a casa. Sentía nudos en el estómago cuando tomé el autobús para regresar. A medida que avanzaba a través del Parque Central, busqué murciélagos en el cielo pero solo vi bandadas de aves volando hacia el sur. Eso me dio el coraje de tomar el ascensor hasta mi apartamento y entrar, lista para enfrentar a mi tía Margo.

Pero ella no estaba allí.

—¿Cómo te sientes, mi amor? —me preguntó mamá—. Todavía luces un poco pálida. Seguramente tú y Gabby se quedaron despiertas hasta muy tarde anoche. ¿Quieres que llame al Dr. Samuels para hacer una cita?

Negué con la cabeza y me quité la mochila. Podía imaginar a mi amable pediatra pidiéndome una muestra de sangre, para luego retroceder horrorizado al percatarse de que no era... humana.

—Me siento muy bien —mentí mientras Bram se alejaba de mí, gimiendo.

—¿Tuviste un buen día en la escuela? —me preguntó papá.

—Excelente —volví a mentir, mirando a mi alrededor—. ¿Dónde está tía Margo?

—Está durmiendo —dijo mamá acercándose para darme un beso—. Se acostó inmediatamente después de volver del museo. Parecía estar muy cansada. Probablemente el cambio de hora, por el viaje.

"O tal vez es nocturna", pensé.

—Espero que no se haya contagiado de lo que tuviste ayer —añadió papá.

—Más bien fue ella quien me contagió —dije entre dientes, pensando en los mosquitos chupadores de sangre que transmiten enfermedades.

—¿Qué dijiste? —preguntó mamá, arreglando mi flequillo.

—Nada —respondí distraída. Me hubiera gustado saber si mi tía estaba realmente dormida o haciendo alguna otra cosa (algún ritual de vampiros) en el cuarto de huéspedes.

—Ya vuelvo —dije, y caminé por el pasillo hacia mi dormitorio. La puerta del cuarto de huéspedes estaba entreabierta, y me atreví a echar una mirada adentro.

Mi tía estaba dormida, acostada de espaldas con su cabello negro esparcido sobre la almohada y su pálido rostro inmóvil. No vi murciélagos en la habitación; probablemente los había dejado en el museo. Me los imaginé en algún profundo rincón del edificio, esperando dentro de sus jaulas. ¿Qué sucedería al anochecer? Temblé de miedo al pensar en los guardias de seguridad del museo, a los que conocía de toda la vida. Me pregunté si los murciélagos volarían directamente al Parque Central o si se alimentarían con la sangre de los guardias...

¡Ufff!

No quise cenar esa noche.

Tampoco quise llamar a Gabby. Aún no me sentía capaz de contarle todo. Me limité a enviarle un mensaje de texto diciendo que tenía demasiadas tareas por hacer. Ella me contestó: Está bien, pero ¿hablaste con tu tía Margo? Suspiré, y le respondí: Aún no.

Mi plan era mantenerme despierta hasta que mi tía despertara. Entonces saldría de mi cuarto para espiarla, o para hablar con ella, dependiendo de cuán valiente me sintiera en ese momento. También quería ver las noticias en la televisión para saber si se habían reportado más ataques de animales. Además, tenía que continuar con mi investigación por Internet. Sería una noche muy ocupada.

Pero todo lo que había pasado durante el día me había dejado exhausta, y la noche anterior no había dormido ni un minuto sobre el colchón inflable de Gabby. Traté de mantenerme despierta mientras hacía mis tareas, pero tenía mucho sueño y se me caía el lápiz de la mano.

"Solo descansaré un momento", pensé al meterme en la cama. Y por primera vez en mucho tiempo, a los pocos minutos estaba completamente dormida.

Ser vampiro era mucho más agotador de lo que hubiera imaginado.

Capítulo siete

Entré en puntas de pies al cuarto helado y oscuro. Esperaba que nadie me hubiera seguido. El corazón me latía a toda prisa. Estaba muy asustada, pero sabía que necesitaba seguir adelante con esto. Ya no había forma de retroceder.

Entonces, en medio de la oscuridad, sentí que me miraban los brillantes ojitos rojos. Esos ojos *hambrientos*. Debía caminar hacia ellos. Debía...

Pi. Pi. Pi.

Estiré la mano y me di un golpe en el brazo, enterrando la cara en la almohada. Un momento, pensé entre dormida y despierta. ¿Es mi despertador? ¿Es por la mañana?

Pegué un brinco, confundida. En efecto, mi cuarto estaba lleno de luz. Ni siquiera pensé en el hecho de que había vuelto a tener la misma pesadilla. ¡Tenía que atrapar a tía Margo! ¿Sería demasiado tarde?

Salté de la cama y corrí hacia el cuarto de huéspedes. Como lo temía, la cama de mi tía estaba ordenada y no había rastros de ella.

—Me dejó una nota. Salió antes del amanecer para comenzar a trabajar temprano —explicó mamá cuando bajé a la cocina en busca de respuestas—. Margo es tan dedicada.

"Antes del amanecer...", pensé.

—Pero el museo no abre hasta las siete para los empleados, ¿no es así? —pregunté nerviosa sin quitarle los ojos de encima a mi mamá—, ¿Qué puede estar haciendo?

—Bueno, me imagino que primero toma el desayuno, y luego camina un poco —dijo mamá sin darle importancia al asunto mientras se servía una taza de café—. Después de todo, hace trece años que no venía a Nueva York. Probablemente quiera ver la ciudad.

—Espera, ¿quieres decir que tía Margo estuvo aquí antes? —pregunté haciendo un rápido cálculo en la cabeza—. ¿Antes de que yo naciera?

—Así es —dijo papá, observando su tazón de cereal—. Pero tú ya estabas en camino. Margo vino a Nueva York a hacer algunos estudios sobre murciélagos, pero no se quedó mucho tiempo con nosotros, ya que en ese entonces vivíamos en un apartamento mucho más pequeño.

Qué extraño. Tal vez la última visita de Margo tuvo algo que ver con el hecho de que yo fuera vampiro. Tal vez le hizo a mamá algún tipo de brujería mientras estaba embarazada.

—¿Tienen fotos de esa visita? —pregunté. Se me había ocurrido una idea—. ¿O cualquier foto de ella de cuando tenía mi edad?

—Humm... —dijo mamá, ladeando la cabeza—. En realidad no tengo muchas fotos de Margo. Tengo algunas de cuando era muy pequeña, pero nada más.

"Claro que no", pensé tragando en seco. No podían existir fotos de mi tía después de los doce años. Eso confirmaba mis sospechas.

—Sin embargo —dijo papá apoyando su cuchara en el tazón—, apuesto a que Margo se parecía mucho a Emma Rose cuando era joven. ¿Te diste cuenta, Lilly? El parecido entre ellas es casi... increíble.

"No tienes idea, papá. No tienes idea", pensé.

—Claro que me di cuenta —dijo mamá mirándome tiernamente—. Y mamá siempre decía que

Margo era la chica más bonita de la ciudad. ¿Oíste eso, Emma Rose?

—¿Yo? ¿Bonita? —gruñí mirando mi cabello enredado y mis pijamas.

—Es verdad —añadió mamá—. Mi madre decía que Margo siempre tenía jóvenes admiradores que la perseguían. Pero ella prefirió no casarse.

"Tal vez porque no se atrevió a decirle a ninguno de sus admiradores quién era realmente", pensé. Por alguna razón recordé a Henry Green, y de inmediato traté de borrar su imagen.

—¿Por qué te interesa tanto tu tía, cariño? —me preguntó papá—. Es decir, es muy amable que te preocupes por ella, pero es una reacción inusual en ti.

Me sentí atrapada. Por un segundo consideré contarles a mis papás la horrible verdad. Pero luego recordé que mamá no me había prestado atención el martes en la mañana. Y si ahora nos enredábamos en una conversación sobre un tema tan escabroso, ciertamente llegaría tarde a la escuela.

"¡La escuela!", pensé contenta.

—Es por el proyecto de investigación genealógica —dije casi gritando, y luego lo repetí con una voz más calmada porque mis padres me estaban mirando nuevamente con cierta preocupación—.

Para la clase de estudios sociales. Olvidé contarles que tenemos que investigar la historia de nuestras familias. Por eso quería entrevistar a tía Margo.

—¡Es una idea maravillosa! —dijo mamá tomando un sorbo de café—. Pero tal vez quieras esperar hasta después de la inauguración de la nueva exhibición. Margo y yo vamos a estar demasiado ocupadas hasta el próximo viernes.

—Eso me recuerda que debo mandar mi esmoquin a la lavandería hoy mismo —dijo papá, poniéndose de pie—. ¿Ustedes ya lo tienen todo listo para la fiesta?

Me mordí el labio. En medio de la locura de la semana, lo había olvidado. Aún no había decidido si iría a la fiesta del museo o al baile de Halloween de la escuela.

El baile. Se me retorció el estómago cuando recordé que esa tarde había una reunión del consejo estudiantil. ¡Lo único que me faltaba! Nunca necesité ni quise participar en el consejo.

Tal vez Gabby tenía razón: a lo mejor esas pesadillas con ojitos brillantes eran causadas por Ashlee Lambert y su martillo rosado.

* * *

Mientras nos sentábamos al fondo del Salón 101 a las tres y media de la tarde, le comenté a Gabby mi sospecha. Ashlee estaba parada al frente, golpeando el escritorio y pidiendo orden en la sala.

—Por supuesto que tengo razón —dijo Gabby con la mayor naturalidad, al tiempo que le escribía un mensaje de texto a Caitlin—. Siempre tengo razón —añadió con una sonrisa mientras cerraba su teléfono.

Suspiré. Gabby había sido extremadamente amable con Caitlin a la hora del almuerzo, invitándola a ir a su casa el fin de semana para jugar con el Wii de Carlos, aprovechando que él tenía clase de karate. Me sentí herida; Gabby me había jurado que ella y yo usaríamos el Wii de Carlos cuando estuviera libre. Además, aunque Gabby, Caitlin, Padma y yo somos muy amigas, también hay más cercanía entre Gabby y yo. Así son las cosas. Padma también se mostró sorprendida, pero no dijo nada. Y yo estaba demasiado confundida para decir algo.

Había pasado todo el día como en una neblina. El día anterior mis amigas debieron pensar que aún me estaba recuperando de mi malestar. Pero en el día de hoy mis profesores se habían molestado al notarme tan distraída. Comencé a temer que, fuera vampiro o no, estaba en peligro de repetir el séptimo grado.

Henry se levantó a pasar la lista, y sentí que me sonrojaba. Gabby se inclinó para escribir una nota en mi cuaderno. Pensé que se trataba de Henry, pero en lugar de eso decía:

¿Alguna novedad sobre lo de tu tía?

No, le contesté. *Duerme todo el día y sale del apartamento ANTES DEL AMANECER.*

Estaba tan concentrada escribiendo esto que cuando Henry dijo "Pálida Paley", levanté la mano sin pensar.

Eso no significa nada..., comenzó a escribir Gabby, pero soltó el lápiz cuando una voz fuerte llamó:

—¡Emma Rose! ¡Gabrielle!

Era la Sra. Goldsmith. Se acercó a nuestros escritorios, muy seria.

—¡Jovencitas! Ya sé que esta no es una clase oficial, pero no está permitido escribir notas durante el consejo estudiantil —dijo con firmeza.

Henry levantó las cejas y Ashlee y Eve intercambiaron sonrisas triunfantes. Me puse furiosa. Era totalmente injusto que la Sra. Goldsmith permitiera que Ashlee hiciera tonterías, pero nos llamara la atención a Gabby y a mí.

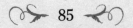

—Perdone, Sra. Goldsmith —dijo obedientemente Gabby, cruzando las manos sobre su escritorio.

—Lo siento —dije entre dientes.

Al levantar la vista vi el periódico que la Sra. Goldsmith llevaba bajo el brazo. Un titular en la esquina derecha decía: NUEVOS ATAQUES A ANIMALES EN EL PARQUE CENTRAL CREAN INTERROGANTES.

Me quedé helada y sentí la boca seca. Habían ocurrido nuevos ataques desde el martes. Me moría de curiosidad por saber a qué interrogantes se refería el periódico. Tal vez alguien más en Nueva York había visto las marcas de dientes y se había percatado de que eran de vampiro.

Pensé en pedirle el periódico a la Sra. Goldsmith o hacerle una seña a Gabby para que viera el titular, pero no quise causar más problemas.

Cuando la profesora volvió a sentarse frente a la ventana, Ashlee escribió Baile de Halloween en el pizarrón, haciendo tintinear sus brazaletes como siempre. Pero esta vez el tintineo me pareció más sonoro que de costumbre. Me estaba provocando un dolor de cabeza.

—¡Bien! —gritó Ashlee volteándose hacia nosotros—. Hoy necesitamos hablar de lo más divertido: la decoración para el baile.

—¡Ohhh! —exclamó Eve, aplaudiendo y haciendo sonar sus brazaletes.

Me froté la frente para calmar el dolor.

—Lo imagino así —comenzó a decir Ashlee dramáticamente, extendiendo las manos—: el baile se llamará "Dulces de Halloween". Tendremos globos rosados y banderolas plateadas. Pondremos algodón de azúcar en las mesas y almohadones en forma de *marshmallows*. Y podríamos extender una alfombra roja en el centro del gimnasio, como en los eventos para celebridades, solo que la alfombra debería ser rosada para que haga juego con los globos. —Hizo una pausa y luego sonrió—. ¿No suena espectacular?

—¿Es un chiste, verdad?

Las palabras salieron de mi boca antes de que pudiera impedirlo.

Pero ya estaban dichas. Le había preguntado, nada menos que a la princesa Ashlee Lambert, si estaba bromeando.

Todos en la sala se voltearon para mirarme con la boca abierta. A mí, la tímida y retraída Pálida Paley, que hasta este momento no había dicho más de tres palabras en una reunión del consejo estudiantil. Henry, Eve, Roger, la Sra. Goldsmith y todos los demás se me quedaron mirando, asombrados.

Ashlee cruzó los brazos, levantó el mentón y me miró.

—¿Qué dijiste, Emma Rose? —me dijo con la voz más fría que he oído en mi vida.

Entonces, algo me sucedió. Me invadió una oleada de calor y coraje que nunca había sentido antes. Estoy segura de que tenía que ver con los sucesos de los días pasados. Teniendo en cuenta lo que había presenciado en el cuarto de mi tía Margo el lunes por la noche, era imposible sentirme intimidada por alguien como Ashlee. Después de todo, ella no era una princesa de verdad, era solo una simple estudiante de séptimo grado.

¡Pero yo era descendiente de un linaje antiguo y noble!

Quizás podría llamarlo fuerza de vampiresa. También levanté el mentón y recogí mi cabello negro por encima del hombro.

—Dije... —repliqué en un tono sereno y claro—, ¿es un chiste, verdad? ¿En serio, Ashlee, rosado y plateado para un baile de Halloween? Es totalmente inapropiado.

El salón se llenó de susurros y murmullos. Los ojos de Henry brillaron con malicia, y se inclinó hacia el pizarrón como para disfrutar de un espectáculo divertido.

Eve me miró como si no pudiera creerme capaz de desafiar a su líder. Ashlee también se me quedó mirando, pero rápidamente recuperó el aplomo.

—Gracias por compartir tus ideas, Emma Rose —dijo con sarcasmo—. ¿Tienes alguna brillante sugerencia para los colores que deberíamos usar para el baile?

Se puso las manos en las caderas e hizo un gesto de desprecio, como esperando mi respuesta.

Yo estaba nerviosa, pero de una forma positiva, estimulante.

—La verdad es que la tengo —respondí, y en ese momento me di cuenta de que tenía muchas ideas. Las había tenido desde un comienzo, pero nunca antes se me había ocurrido expresarlas. Así que continué—: Bueno, las alternativas obvias son negro y anaranjado, pero también podríamos utilizar algunos rojos oscuros. Y podríamos pedir permiso para decorar las paredes con calcomanías de calaveras, telas de araña o fantasmas. Sería bueno tener una máquina para hacer humo, y podríamos llenar un caldero como los que usan las brujas con dulces o manzanas, para tratar de "pescarlas" con la boca. Ah, la idea de la alfombra roja no es mala, pero podemos hacer algo más, pedir a algunos chicos voluntarios que tomen fotografías de todos los disfraces, como paparazzi. Sería como un "Halloween de Hollywood".

Hice una pausa para tomar aliento. Nunca creí que me atrevería a hablar tanto. Pero no me sentí tímida, ni tonta ni avergonzada. Expresar mis ideas había sido emocionante. Y fue refrescante dejar de pensar en colmillos o animales muertos en el Parque Central.

Hacía días que no me sentía tan bien.

Durante un momento nadie abrió la boca en el salón, hasta que Gabby se volvió hacia mí.

—Eso sí suena espectacular —dijo claramente.

—Gracias —dije.

Gabby me hizo un signo de aprobación con el pulgar en alto. Por supuesto, era natural que Gabby estuviera de mi lado porque era mi amiga. Pero cuando nadie más habló, comencé a inquietarme y a preguntarme si alguien atacaría mis ideas, especialmente ahora que la cara de Ashlee estaba cada vez más roja.

Pero entonces, Henry Green, que había permanecido de pie con las manos en los bolsillos, se adelantó.

—No está mal, Pálida Paley —dijo con esa media sonrisa que me molestaba tanto (sin por eso dejar de agradarme)—. Realmente no está nada mal. Al contrario, tus ideas son muy buenas.

Sentí que me sonrojaba.

Ashlee le lanzó a Henry una mirada asesina.

—Sí —dijo Roger desde su asiento—. Me gusta mucho la idea.

—Y me encanta lo de las calcomanías —exclamó Zora Robinson—. Apuesto a que podemos comprar unas muy bonitas.

Un alegre cuchicheo comenzó a extenderse por todo el salón, y los chicos se volteaban en sus asientos para ofrecerme sonrisas de aprobación. Sentí que me ardían las mejillas.

Ashlee se alejó de Henry y se concentró en Eve, que se estaba mordisqueando las uñas. Cuando abrió la boca para hablar, todos se callaron para escuchar lo que iba a decir.

—Yo... yo, humm, bueno, también me gusta mucho la idea de los paparazzi —dijo Eve, con terror en la mirada.

Ashlee se quedó con la boca abierta.

—Muy bien —gritó alguien desde el otro extremo del salón, y todos comenzaron a aplaudir.

Otro chico gritó:

—¡Queremos un Halloween de Hollywood!

Y alguien dijo:

—¡Excelente iniciativa, Emma Rose!

No podía creerlo. Miré a Gabby, que también estaba asombrada, pero orgullosa.

—¡Orden! —gritó Ashlee golpeando el escritorio con su martillo—. ¡Orden! A mí no me gusta esa idea. ¿Quién quiere fotógrafos en una fiesta? ¿Qué está sucediendo aquí? ¡Soy la presidente, y yo decido!

—Lo siento, Ashlee —dijo finalmente la Sra. Goldsmith—. Temo que las cosas no son así. En el consejo estudiantil todos los estudiantes votan.

Antes de que Ashlee pudiera responder, la Sra. Goldsmith se volvió hacia nosotros.

—Los que estén a favor de Dulces de Halloween, por favor levanten la mano —dijo.

Ashlee levantó el brazo con tanto vigor que su anillo de flores rosadas golpeó el pizarrón. Nadie siguió su ejemplo. Eve levantó una mano insegura, pero la volvió a bajar.

—¡Perdóname! —le susurró a Ashley.

—Bien —siguió la Sra. Goldsmith—. Los que estén a favor del Halloween de Hollywood...

Todas las manos se levantaron, excepto la de Ashlee. Incluso Eve elevó la mano muy alto, igual que Henry y Roger.

Me sentí orgullosa. Observé que también la Sra. Goldsmith estaba sonriendo, y me pregunté si (a pesar de haberme regañado un rato antes) estaba contenta de que mi idea hubiera tenido mejor aceptación.

—Supongo que entonces está decidido —dijo la profesora frotándose las manos—. Tal parece que tendremos un Halloween de Hollywood.

Ashlee rechinó los dientes con furia. Le salía humo por las orejas.

—Desde este momento Emma Rose queda nombrada diseñadora oficial para el baile —dijo Gabby, tomando mi mano para volverla a levantar.

—No, esperen, ¿qué? —dije, dirigiéndome a mi mejor amiga—. Yo solo estaba sugiriendo ideas... no podría...

—Estoy de acuerdo —exclamó Zora—. Harás un excelente trabajo, Emma Rose.

—Como quieran —dijo despectivamente Ashlee, soltando el martillo—. Emma Rose puede hacerse cargo del diseño. Pero eso significa que *tú* debes comprar todas las decoraciones y dejar todo organizado en el gimnasio antes del baile. Yo vendré a ver el trabajo, pero solo para supervisar. No quiero arruinarme las uñas —añadió con petulancia.

—Yo te ayudaré, por supuesto —dijo Gabby.

—Yo no podré ayudar con la organización —dijo Zora disculpándose—. Pero puedo comprar algo para la decoración.

—También yo —dijo Janie Woo, la mejor amiga de Zora.

Asentí con la cabeza, sintiéndome un poco abrumada. ¿En qué rollo me había metido?

Y entonces me quedó muy claro: estaba a cargo del diseño y la decoración del baile, así es que no podría dejar de asistir.

Eso significaba que no iría a la fiesta en el museo.

Me sentí desilusionada. Cuando Ashlee dio por terminada la reunión, Gabby me miró y se dio cuenta de que estaba triste.

—Faltarás a la fiesta del museo, ¿eh? —me dijo comprensiva—. Tampoco podremos salir a recoger golosinas.

Negué con la cabeza.

—Supongo que Ashlee tomó la decisión por mí —dije—. Qué lástima que no pueda salir corriendo del baile para la inauguración.

—No, a menos que puedas ir disfrazada —suspiró Gabby.

Observé a Ashlee salir del salón muy enfadada. Eve la siguió, pidiéndole disculpas, y Henry y Roger también se marcharon. Tan pronto se cerró la puerta detrás de ellos, todos los otros chicos comenzaron a acercarse a mi escritorio.

—Emma Rose, fue fantástico lo que hiciste... enfrentarte así a Ashlee —exclamó Zora con admiración.

—En verdad, la idea del rosado era pésima —comentó Janie.

—Creíamos que nadie se atrevería a contradecirla —dijo un chico de mi clase de ciencia, llamado Matt de la Cruz.

—Todos estamos a tu favor —añadió otro, y los demás asintieron con entusiasmo.

Gabby parecía tan sorprendida como yo ante tanta atención.

—Es verdad —dijo la Sra. Goldsmith mientras borraba el pizarrón—. Me impresionó mucho tu iniciativa, Emma Rose.

—Gracias —alcancé a balbucear en medio de mi sonrojo.

Me invadió una cálida sensación de bienestar.

"¿Es esto lo que se siente cuando uno es popular?", pensé.

Me sentía diferente, pero esta vez era una sensación maravillosa.

Tal vez convertirme en vampiro no había sido tan malo.

Tal vez era la manera de transformarme en una nueva Emma Rose.

Capítulo ocho

El viernes puse en práctica mi nuevo plan.

Me desperté muy temprano para sorprender a mi tía Margo (que por supuesto estaba dormida cuando regresé a casa el jueves por la tarde).

Me vestí rápidamente, combinando mis jeans morados con una camiseta negra y una blusa con pequeñas cerezas rojas. Me puse mis botas negras y mis muñequeras de rayas moradas. Luego le envié a Gabby un mensaje de texto diciéndole que iría temprano a la escuela y no podía esperarla.

Me sentí un poco mal por esto. No había conversado con mi amiga la noche anterior porque Gabby se había quedado en la biblioteca estudiando para el proyecto de investigación genealógica. Me había invitado a acompañarla, pero yo estaba demasiado entusiasmada después de la reunión del consejo estudiantil y preferí ir a comprar las decoraciones con Zora. Ahora tenía en mi cuarto una bolsa repleta de calcomanías de calaveras y banderolas de papel crepé anaranjado y negro.

Bajé a la cocina. Mis padres se sorprendieron al verme levantada tan temprano. Mientras me servía un vaso de jugo de arándanos les dije que no podría ir a la fiesta del museo del viernes. Mamá lo lamentó, pero me dijo que estaba orgullosa de mí por involucrarme en el baile de la escuela.

Eve, Mallory, Roger y Henry fueron los primeros que vi al llegar a la escuela. Estaban frente a sus taquillas, y escuché que Eve decía que Ashlee estaba enferma. Con seguridad, la princesita necesitaba un día para recuperarse de lo sucedido en la reunión del consejo estudiantil.

Caminé hasta mi taquilla y Henry me saludó:

—Buenos días, Pálida Paley.

Me di vuelta y le dirigí una de esas miradas que imaginé que una mujer vampiro lanzaría contra una indefensa ardilla. No me sonrojé ni me intimidé.

—¿Sabes qué? —dije con firmeza—. Esa broma ya está un poco gastada.

Henry pestañeó y se puso la mano en la cabeza.

—Humm... —susurró con nerviosismo.

Eve, Mallory y Roger intercambiaron miradas. Ellos tampoco estaban acostumbrados a oírme hablar en ese tono (ni en ningún tono). No estaba dispuesta a tolerar otra broma. Me quedé de pie con las manos en las caderas.

Finalmente, Mallory me ofreció una tímida sonrisa.

—Oye, Emma Rose, me gusta la ropa que llevas puesta —dijo.

—Gracias —respondí.

Antes de regresar a mi taquilla, vi a Eve dándole un codazo a Mallory.

—Es cierto —susurró Mallory—. Es bonita.

Sonreí.

Cuando comenzó la clase de gimnasia, supe que esa amabilidad repentina de Mallory no iba a durar mucho. Ambas estábamos nuevamente en el mismo equipo, junto con Eve y Caitlin. La última vez habíamos perdido... por mi culpa. Hoy Eve y Caitlin, aunque no eran amigas, parecían estar dispuestas a hacer cualquier cosa con tal de ganar. Cuando el otro equipo hizo el saque, ambas saltaron. Caitlin lanzó el balón a Eve, que lo tiró al otro lado de la red.

—¡Muy bien, Eve! —gritó Mallory—. ¡Vamos, Caitlin! —añadió con entusiasmo.

La entrenadora Lattimore hizo sonar el silbato y nos dijo que rotáramos las posiciones.

Se me hizo un nudo en el estómago. Era mi turno para hacer el saque.

—Ahora, recuerda lo que te dije, Emma Rose —me dijo la entrenadora, y me puso el balón (mi enemigo) en la mano—. Usa toda tu fuerza. Y lanza el balón al otro lado de la red.

—Vamos, profe, tal vez sería mejor que no saque Emma Rose... —gimió Eve.

—Pss... por lo menos nos divertiremos un poco —oí murmurar a Mallory.

Vi a Caitlin bajar la vista, como si no soportara la idea de verme fallar de nuevo.

Y de pronto me regresó la oleada de energía que había sentido en la reunión del consejo estudiantil. ¿Por qué me preocupaba? Yo era un *vampiro*. ¿Qué era un simple partido de voleibol comparado con cazar criaturas en la oscuridad de la noche?

Podía hacer esto. Podía hacer cualquier cosa.

La sangre se me agolpaba en las sienes. Llevé el brazo hacia atrás, y mi puño golpeó el balón lanzándolo hacia delante a una velocidad que me sorprendió a mí misma. El balón pasó al otro lado de la red, por encima de las cabezas del otro equipo. Una chica trató de alcanzarlo, pero falló y el balón cayó al suelo.

Se hizo un silencio sepulcral.

A la entrenadora Lattimore se le cayó el silbato de la boca.

—¡Eso, Emma Rose! —gritó Caitlin corriendo a abrazarme.

Le devolví el abrazo con una gran sonrisa.

—¡Vamos, Emma Rose! —gritaron también las otras chicas de mi equipo, aplaudiendo.

Nunca hubiera imaginado que las escucharía decir eso y, por primera vez, experimenté la alegría del triunfo.

Aun mejor fue ver a Eve y Mallory paradas, inmóviles, pálidas. Se miraban asombradas, y luego posaron sus ojos en mí.

No pude resistirlo.

—Gracias por su apoyo —les dije.

Caitlin soltó una carcajada, e inclusive la entrenadora Lattimore se rió.

Después de la clase, volví a las taquillas, sudorosa y feliz. Cuando me miré en el espejo que está sobre los lavabos, me sentí casi decepcionada al ver que todavía no me habían crecido los colmillos, como suponía que pasaría.

"Entonces, esto es lo que se siente cuando uno es algo más que humano", pensé, orgullosa. Por primera vez desde que me di cuenta de lo que era, podía sentir la antigua magia de mis antepasados corriendo por mis venas.

Al final del día abrí las puertas de la escuela llena de entusiasmo. Sentía fuerza en los brazos y mi cabello se mecía como la seda. El cielo nublado aumentó mi buen humor. Bajé las escaleras con seguridad. Todavía estaba llena de energía. Hubiera podido jugar otro partido de voleibol.

—¡Eh, espera!

Me volví y vi a Gabby corriendo para alcanzarme, con los rizos al viento. Estaba feliz de verla. No habíamos tenido oportunidad de conversar en el almuerzo porque Zora, Matt y Janie se sentaron en nuestra mesa para informarme de los adelantos para el baile. Matt había hablado con algunos estudiantes de sexto grado para que fueran los paparazzi, y Zora y Janie habían encontrado un caldero en una tienda de Halloween. Me hubiera gustado que Gabby participara en la conversación, pero parecía más interesada en hablar con Caitlin y Padma.

—Mira lo que tengo para ti —me dijo cuando estuvo cerca, sacando de su mochila una pequeña bolsa de plástico—. Quería dártelo más temprano.

—¿Un regalo? —pregunté, agarrando la bolsa—. ¿Y a qué se debe?

—Simplemente pensé que te animaría —dijo sonriendo.

—Oh, en realidad he estado... —comencé a decir, pero las palabras se me atascaron en la garganta cuando vi el contenido de la bolsa.

Era un par de colmillos de plástico.

—Divertido, ¿verdad? —dijo con una chispa en los ojos.

Me enfadé con mi mejor amiga. En ese momento me pareció casi una extraña.

"¿Divertido?", pensé. Nada relacionado con el tema era una broma para mí.

—Sí, muy cómico —respondí secamente, guardando los colmillos en mi mochila.

Me di la vuelta y caminé hacia la calle. Gabby me siguió y, por un momento guardó silencio, como si no supiera qué decir.

—Vendrás esta noche, ¿verdad? —preguntó finalmente.

—Claro —respondí, aunque había olvidado que era viernes, y siempre iba a casa de Gabby los viernes por la tarde—. ¿Invitaste también a Caitlin? —añadí, pero al ver la expresión de tristeza en su rostro lamenté haberlo dicho.

—No —dijo un poco seria—. ¿Por qué la habría invitado?

—Bueno, ¿no le dijiste que fuera mañana a jugar con el Wii de Carlos? —respondí, consciente de mi tono severo.

Gabby asintió tímidamente.

—Tienes razón. Padma no puede venir porque tiene clases de piano. Pero tú también deberías venir, Em —añadió—. Disculpa por no haberte invitado antes, pero últimamente estás muy distraída. Casi como si prefirieras estar sola.

—Lo sé —dije, sintiéndome culpable.

Pasamos cerca de un grupo de palomas, y luego nos detuvimos.

—¿Fue por esa historia de vampiros? —preguntó.

Tal vez fue por su regalo, por "los colmillos divertidos", o por su tono bromista... pero el caso es que me enfadé de repente.

—Por favor, habla más bajo —dije bruscamente mirando por encima de mi hombro.

El Museo de Historia Natural estaba cerca. La propia Margo podría aparecer en cualquier momento con sus grandes colmillos y las alas desplegadas. La idea hizo que mi cuerpo entero se congelara de terror.

—Lo sabía —suspiró Gabby—. Sabía que seguías obsesionada. De seguro que todavía no has hablado con tu tía Margo, probablemente porque sabes que te dará una explicación lógica, y tú no quieres eso.

De pronto se me acabó la paciencia.

—¡No! —respondí muy enfadada—. No he hablado con ella porque es totalmente nocturna, ¿entendiste? Ah, y acuérdate de que tú misma trataste de convencerme de que no tengo ninguno de los síntomas de los que hablamos. Bueno, estabas equivocada.

Hablando lo más bajo posible, le expliqué lo que había descubierto sobre mi cumpleaños número doce. Esperaba que mi amiga me entendiera y me pidiera disculpas por haber dudado de mí.

Pero en lugar de ello, hizo un gesto de burla.

—Eso tampoco demuestra nada —comentó—. Solo porque lo leíste en un sitio web...

Negó con la cabeza mientras esperábamos a que cambiara la luz del semáforo.

—Me hubiera gustado que me dijeras eso antes —continuó—, te hubiera ahorrado mucho estrés.

Se escuchó el ruido de un trueno. Observé a Gabby, con su expresión de saberlo todo y los brazos cruzados delante del pecho.

"Me pregunto si alguna vez me habrá comprendido", pensé.

—*Precisamente* por eso es que no te lo dije —protesté—, porque sabía que reaccionarías así. Sabía que no me creerías.

Me di cuenta de que siempre supe que Gabby descartaría cualquier cosa que yo dijera. Pero, ¿no se supone que tu mejor amiga debe ofrecerte apoyo incondicional?

—Solo estoy tratando de ayudarte —protestó Gabby levantando la voz por encima del ruido de los autos que pasaban—. Vamos, Em, has estado muy alterada toda la semana.

Me sentí herida.

"Desciendo de una dinastía antigua", pensé. Nuevamente se oyó el rugido de un trueno.

—Tal vez me haya comportado de forma un poco extraña —insistí—. Pero ahora estoy mejor. En realidad estoy fabulosamente bien, por si no lo has notado.

—Oh, claro que lo he notado —respondió agresivamente mientras cruzábamos la calle. Sus mejillas estaban encendidas, una señal inequívoca de que algo le había molestado—. He observado que ahora lo único que te interesa es ser la chica más popular del consejo estudiantil y ser amiga de los chicos de octavo grado y...

—¿Qué?

Me detuve en medio de la calle, y Gabby tuvo que tirar de mi brazo para que siguiera caminando. Estaba realmente furiosa. Me había sentido tan bien conmigo misma todo el día, y ahora Gabby lo estaba arruinando todo.

—Pensé que te alegrabas por mí. Tú misma me nombraste diseñadora oficial para el baile —dije.

Me puse muy tensa. De repente, me pareció que nuestra conversación estaba yendo en la dirección equivocada y podría resultar peligrosa.

—Bueno, nunca esperé que la popularidad se te fuera a la cabeza de este modo —dijo.

Como reaccionando ante sus palabras, el cielo se abrió y comenzó a llover. Esa mañana había salido tan de prisa que olvidé traer mi sombrilla.

—No puedo creerlo —refunfuñé—. Estás totalmente celosa. Eso es lo que te pasa.

Gabby volvió a hacer el mismo gesto de burla.

—Sí, estás celosa —repetí—, porque finalmente me estoy enfrentando a la gente y digo lo que pienso, y tú ni siquiera has tenido el valor de dirigirle la palabra a Milo en la clase de ballet.

Estaba hablando prácticamente a gritos.

La tristeza cruzó el rostro de Gabby, y me mordí el labio. No había querido mencionar a los chicos ni decir algo cruel.

—Como sea —dijo—. Tú nunca admitirás que te gusta Henry Green. Pero además, si él se enterara de que piensas que eres *lo que tú sabes*, nunca le gustarás.

Se me cortó la respiración. ¿Cómo era posible que esto hubiera ocurrido tan rápido? Después de haber sido las mejores amigas del mundo, Gabby y yo nos estábamos diciendo cosas horribles. Quería dar marcha atrás, acercarme a ella, abrazarla y pedirle perdón. Pero sentí que era demasiado tarde.

La lluvia estaba arreciando. Todos a nuestro alrededor ya tenían las sombrillas abiertas, pero Gabby y yo nos quedamos inmóviles, empapándonos.

—No me importa —dije finalmente y con convicción—. No me importa lo que pienses, Gabby.

—Lo mismo siento yo, Emma Rose —respondió Gabby con actitud altiva.

Emma Rose. El nombre fue como un golpe en el estómago. Gabby nunca me había llamado por mi nombre completo. Siempre había sido "Em" para ella. Se me hizo un nudo en la garganta.

—Muy bien —dije recuperando la voz—. Entonces supongo que no iré a tu casa.

—Muy bien —repitió ella con lágrimas en los ojos... aunque bien hubieran podido ser gotas de lluvia.

Me di vuelta tan de prisa que casi derribo a una persona. Crucé la calle y caminé hacia mi casa. Estaba temblando. Nunca, en nuestros siete años de amistad, había peleado con Gabby de esa manera.

—Ah, y tampoco cuentes con mi ayuda para el baile —gritó Gabby al alejarse.

—¡De todos modos no me hará falta! —respondí.

Luego eché a correr bajo la lluvia llena de furia. Corrí con toda mi fuerza de vampiro. Cuando llegué a mi edificio estaba empapada y exhausta.

Y entonces me di cuenta de algo que me angustió aun más: Gabby era la única que conocía mi secreto, y hasta hace unos minutos la única a quien le importaba. Si les dieran a elegir, probablemente Caitlin y Padma se pondrían del lado de Gabby. Mis nuevos amigos del consejo estudiantil se espantarían si les confesara lo que realmente pensaba que era. No podía contar con mis padres. Y mi tía Margo estaba demasiado ocupada transformándose en murciélago, atacando a indefensos animales o escondiéndose del sol para hablar conmigo.

Respiré profundo y entré al edificio.

Estaba sola.

Capítulo nueve

—¡Hola, querida!

Casi sufro un paro cardíaco al entrar al apartamento y ver a mi tía Margo. Caminaba hacia mí, cargando una de sus lujosas maletas en una mano y una sombrilla inmensa en la otra.

Me quedé helada. El agua de lluvia resbalaba por mi cuerpo, mojando la alfombra del vestíbulo. Las palabras de Gabby desaparecieron de mi mente.

Era la primera vez que veía a mi tía desde la tormentosa noche del lunes. Mis ojos la recorrieron de arriba abajo, buscando alguna señal del temible murciélago. Su rostro estaba tan pálido como siempre, excepto por sus ojos azules y sus labios bien rojos. Llevaba su cabello negro recogido y vestía un elegante impermeable negro y botas negras de tacón alto.

No vi alas, ni colmillos, por lo menos en ese momento.

—¿Por qué estás tan asustada, querida?

"No sabe que conozco su secreto...", pensé.

—Es que... yo... —me aclaré la garganta—. ¿Regresas a Rumania? —fue lo único que atiné a decir, apuntando a su maleta.

Sentía una mezcla de miedo y alivio. Por un lado, se estaba marchando justo cuando necesitaba hacerle un montón de preguntas pero, al mismo tiempo, quería que desapareciera y se llevara de vuelta todos los problemas que me había traído.

—Aún no, querida —respondió, acercándose. Me encogí, pero no pareció percatarse de ello. Me besó en la mejilla, y sentí sus labios fríos como el hielo—. Solo iré a un spa en Pennsylvania por unos días.

Nunca antes lo había pensado, pero *Pennsylvania* suena bastante parecido a *Transilvania*.

Escuché gemidos, y vi que Bram estaba en el otro extremo del pasillo, cerca del cuarto de mis padres, evidentemente esperando a que tía Margo se marchara.

—Necesito descansar antes del viernes, para la fiesta del museo —continuó mi tía, dirigiéndose a la puerta—. Tu mamá y tu papá saben que estaré ausente durante unos días. Esta noche van a cenar con unos amigos.

—¡Espera! —grité con desesperación.

Tía Margo se volteó, levantando las cejas.

—¿Sí, querida...?

Abrí la boca. Un millón de preguntas invadían mi mente.

"¿Qué hicieron tú y tus murciélagos todas estas noches?"

"¿Sales a la calle ahora porque es un día nublado y está lloviendo?"

"¿Eres buena jugando voleibol?"

"¿Cuándo me convertiré en un vampiro?"

Pero por alguna razón las palabras no salieron de mi boca. Lo único que pude decir fue:

—Cuándo, este... cuándo yo... espero que lo pases bien en el spa.

Ahí se me acabó la valentía para decir lo que pensaba.

—Oh, gracias, querida —dijo dulcemente mientras abría la puerta—. Y tú también trata de descansar, la noche del viernes será muy importante para ti.

Antes de que pudiera decirle que no iría a la fiesta del museo, Margo había salido del apartamento. Solo quedaba una nube de su perfume de flores. Bram lanzó un ladrido aliviado. Y yo me quedé de pie con la ropa empapada y con un millón de interrogantes.

—Tengo una pregunta —le dije al bibliotecario al día siguiente por la tarde.

Estaba en la biblioteca de mi barrio. Había despertado deprimida, pensando en todas las cosas que debí preguntarle a tía Margo e imaginando lo mucho que se estarían divirtiendo Gabby y Caitlin en mi ausencia.

Cuando mamá me vio triste, me sugirió ocuparme con algo "productivo", y recordé que tenía que ir a la biblioteca para comenzar el proyecto para la clase de la Sra. Goldsmith. No era la manera más divertida de pasar un sábado, pero supongo que eso es lo que le sucede a un vampiro que acaba de perder a su mejor amiga.

El bibliotecario, un joven delgado con espejuelos de armadura negra, me miró por encima de su computadora.

—¿De qué se trata?

Su tono de voz me sorprendió. Yo creía que los bibliotecarios hablaban muy bajo para no hacer ruido.

—Estoy buscando libros sobre Transil... Rumania —dije.

—Ah, sí, Rumania —dijo. Su voz sonó muy alto en el ambiente silencioso. Me dirigió a un estante cercano, lleno de libros.

—Gracias —murmuré.

Entonces me detuve. De todas las cosas crueles que me había dicho Gabby, una en particular se me había quedado grabada en la mente.

"Solo porque lo leíste en *un* sitio web..."

No quería admitirlo, pero mi ex mejor amiga había dicho algo lógico. Estaba basando mis teorías en lo que decía un sitio de Internet acerca de los vampiros de Transilvania. Recordé que la Sra. Goldsmith había mencionado que Internet no siempre era la fuente de información más confiable. Tal vez esos viejos libros polvorientos aclararían muchas cosas. En todo caso, eso fue lo que siempre funcionó en Harry Potter.

Volví al escritorio del bibliotecario, me incliné hacia él y susurré:

—¿Dónde puedo encontrar libros sobre vamp...
vamp...?

No me salía la palabra.

—¿Vampiros? —dijo el bibliotecario casi gritando—. En esa dirección —añadió apuntando hacia el otro extremo de la sala.

Contuve el aliento y me volteé para mirar a los que estaban sentados allí. Estaba segura de que todos me observaban mientras agitaban sartas de ajo en el aire. Milagrosamente, los presentes estaban concentrados en sus libros y laptops. Suspiré aliviada.

Fui hacia los estantes con libros sobre Rumania, pero no pude concentrarme en ninguno sabiendo que había información sobre vampiros esperando al otro extremo de la sala. Decidí ir hacia esa sección.

Allí la luz parecía menos brillante. Mi corazón empezó a latir aceleradamente. Llegué a una fila con un letrero que decía: FOLCLORE Y LEYENDAS. Creí oír pasos al otro lado del estante, pero tal vez los estaba imaginando. Quería estar sola en este pequeño rincón.

Busqué títulos diferentes. Había libros sobre espíritus, zombis, unicornios y sirenas. Finalmente ubiqué tres tomos sobre vampiros. Uno se llamaba

En la sangre: Fábulas y realidades sobre los vampiros. El otro, *Colmillos para los recuerdos: Los vampiros en la literatura y la cultura popular*. Y el tercero decía simplemente, *El vampiro*, y era tan viejo que el oscuro lomo rojo estaba agrietado y las letras del título se estaban borrando.

Decidí sacar los tres libros. Cuando los tuve en los brazos me di cuenta de que pesaban una tonelada. Tambaleándome, comencé a caminar en busca de una mesa.

—¿Necesitas ayuda, Pálida Paley? —dijo una voz burlona y familiar.

Los libros se me cayeron produciendo un gran estruendo. La gente de las mesas se volteó para clavarme los ojos. El bibliotecario gritón tuvo la desvergüenza de llevarse un dedo a los labios y decir: "¡Shhh!".

Lentamente, Henry Green se acercó hasta a mí. Le brillaban los ojos.

—Supongo que la respuesta es afirmativa —dijo.

Sentía las mejillas tan encendidas que temí que mi cara se incendiara.

¿Henry Green? Era la última persona que hubiera esperado encontrarme en la biblioteca.

Hubiera deseado huir y enviarle a Gabby un texto para contarle de este encuentro sorpresivo, pero entonces recordé que habíamos peleado.

—No, no necesito ayuda —dije bruscamente.

Pero Henry ya estaba de rodillas recogiendo los libros.

—Déjame ver. ¿Qué tienes en tu lista de lectura? —preguntó, leyendo todos los títulos—. *¿En la sangre? ¿El vampiro?*

El pánico se apoderó de mí.

—Deja eso —exclamé, tratando de recuperar los libros, pero los tenía fuera de mi alcance.

No quise hacer una escena, así que me di por vencida. Henry se puso de pie, sonriendo triunfalmente. Me rechinaban los dientes.

—¿Qué haces aquí? —pregunté, tratando de hablar bajito—. ¿No deberías estar en la práctica de fútbol o algo así?

—Hoy no —respondió con naturalidad, enderezando su bolso y sosteniendo mis libros de vampiros—. Estaba buscando información para el proyecto de la clase de la Sra. Goldsmith.

Vi que tenía dos libros de la biblioteca en su bolsa; uno parecía ser sobre Francia y el otro sobre Rusia.

—Pero me aburrí y vine a ver si encontraba algo interesante en la sección de folclore y leyendas.

—*Tú*... ¿estás interesado en estas cosas? —le pregunté.

Siempre había visto a Henry con la camiseta de fútbol de la escuela, y deduje que solo le interesaban los deportes y los juegos de video, además de ser popular.

Por otro lado, nunca habíamos hablado lo suficiente como para conocerlo a fondo.

—Me interesan mucho —dijo sonriendo, y por primera vez me di cuenta de que no estaba bromeando ni burlándose de mí—. Deberías ver la colección de películas antiguas de terror que tengo en casa, quiero decir, humm...

Rápidamente bajó la cabeza como avergonzado.

Lo miré, confundida. Me pareció que se *sonrojaba*.

Pero no, era absurdo. Y tampoco había insinuado que fuera a su casa, ¿o sí? No, no era posible.

—También tengo una tarántula —dijo, volviendo a levantar la cabeza. Y al momento pareció incluso más avergonzado—. Pero probablemente odias las tarántulas, ¿verdad?

—No —dije levantando los hombros—. Es más, me parecen simpáticas.

"Siempre y cuando ninguno de mis parientes sea secretamente una tarántula", pensé.

—¿De verdad? —preguntó—. Creí que a todas las chicas les repugnaban los insectos. Ashlee los odia.

La forma en que pronunció el nombre de Ashlee, como si estuviera harto de ella, me hizo dudar de que fuera su principal admirador. Otra sorpresa. Siempre pensé que a Henry le gustaba Ashlee, incluso que estaba un poco enamorado de ella.

—Bueno, Ashlee y yo somos muy diferentes, en caso de que no lo hayas notado —dije. No pude evitar sonreír.

Mientras le hablaba, pensaba: "¿Realmente estoy aquí, conversando con Henry Green?". Definitivamente no era lo más extraño que me había sucedido esta semana, pero sí era bastante raro.

—Claro que lo he notado —dijo riendo—. Tú tuviste unas ideas brillantes para el baile de Halloween.

—Oh, humm, gracias.

Mi corazón daba saltos. Miré hacia abajo y mi cabello cayó desordenado sobre mi cara. ¿Me había dicho un piropo? ¡Qué extraño!

—¿Para eso es que necesitas todo esto? —preguntó señalando mis libros sobre vampiros—. ¿Estás buscando información para Halloween?

Respiré profundo.

—Se podría decir eso —respondí.

"Aunque podré utilizarlos también para mi proyecto de investigación genealógica", pensé.

—¿Dónde quieres sentarte? —dijo señalando con el mentón una pequeña mesa en una esquina.

—Ese era mi plan —respondí.

Henry Green me volvió a sorprender cuando puso mis libros encima de la mesa.

Yo estaba esperando a que me hiciera alguna broma burlona, pero en realidad estaba siendo amable y, bueno, encantador. Casi como un amigo. Me pregunté si era porque el día anterior había protestado cuando me llamó Pálida Paley. O tal vez fuera de la escuela y lejos de su grupo popular actuaba de forma diferente.

Me imaginé que se marcharía, tal vez para encontrarse con Roger o algún otro amigo para ir al cine. En lugar de eso, se quedó ahí, parado, examinando nuevamente los libros.

—Dime, ¿por qué te fascinan tanto los vampiros? —preguntó sonriendo.

"Oh, no...", pensé, y tragué en seco, echándome el cabello hacia atrás.

—Supongo que es un tema que me toca... humm... de cerca —logré responder, esperando que no se diera cuenta de mi agitación.

Henry asintió, con una chispa en sus ojos verdes.

—Bueno, hablando de vampiros —dijo, y luego miró por encima de su hombro y se acercó más a mí. Nuevamente me sentí sonrojar—. Esto no se lo he contado a nadie, pero ¿quieres oír algo realmente extraño? —susurró.

—Claro —respondí. ¿Qué me hubiera podido contar Henry que fuera más extraño que mi propia historia?

—Tengo una teoría —dijo muy bajo—. ¿Has oído hablar de las ardillas y los pájaros muertos que se han encontrado en el Parque Central?

Asentí, pero estaba a punto de desmayarme.

—Sé que es una locura, pero parecería que los animales fueron atacados por vampiros —dijo—. ¿Te das cuenta? Marcas de colmillos en el cuello. Esa es la clásica marca de un vampiro, ¿no crees?

La cabeza me daba vueltas. Sentí que mis manos y pies estaban helados.

—Dicen que se trata de un halcón —continuó Henry con los ojos muy abiertos—. Pero piénsalo, no puede ser un halcón. Creo... estoy seguro... —y bajó la voz aun más— de que hay vampiros en Manhattan.

Me sentí desfallecer. Se me aflojaron las rodillas y caí sentada en la silla que estaba frente a la mesa.

Henry me miró preocupado.

—Oye, ¿estás bien? Lo siento si te asusté. Es por eso que no se lo he comentado a nadie. Supongo que pensé que tal vez tú me comprenderías, ya que evidentemente te interesan los vampiros y...

—Te comprendo —interrumpí.

—¿De verdad? —preguntó levantando las cejas.

Miré de frente a Henry, percatándome de la sinceridad en su mirada. En una semana llena de sorpresas, la mayor de todas sería que Henry Green fuera alguien al que pudiera hacerle confidencias.

La valentía que había sentido el día anterior en la escuela regresó. Tal vez no estaría totalmente sola sin Gabby. Tal vez podría compartirle mi secreto a la última persona a la que se me hubiera ocurrido hacerlo.

Respiré profundo una vez más. Sabía que podría estar cometiendo un grave error. Estaba corriendo el riesgo de que Henry se lo contara a Ashlee, Eve y Roger, y entonces toda la escuela lo sabría. Pero estaba dispuesta a correr el riesgo porque sentía que Henry creería lo que le iba a confiar.

—Te comprendo —repetí—, porque yo soy un vampiro.

Capítulo diez

Al comienzo, Henry no dijo nada. Se limitó a soltar su bolso y sentarse en la silla frente a la mía. Luego se inclinó hacia delante, puso los codos sobre la mesa y me miró con seriedad.

—Cuéntame todo —susurró.

Yo no confiaba en mi voz, por lo cual saqué de mi mochila mi cuaderno de estudios sociales y una pluma. Mientras Henry aguardaba, escribí todos los eventos de mi extraña semana. No mencioné la pelea con Gabby ni mi triunfo en el partido de voleibol, limitándome a los detalles concernientes a mi tía Margo. De alguna forma, ponerlo todo por escrito me hizo sentir liberada. Fue casi tan bueno como dibujar.

Cuando terminé, estiré los dedos agarrotados y empujé el papel hacia el otro lado de la mesa para que Henry lo viera. Lo leyó con atención, con los ojos fijos en mi letra desordenada, y yo aguanté la respiración.

Tenía miedo de que él, al igual que Gabby, se burlara de mis historias (desafortunadamente demasiado verdaderas) de murciélagos, dinastías y Transilvania. También existía la posibilidad de que llamara a Ashlee, que seguramente estaría escondida en algún lugar y, con su habitual voz irónica, me informara que todo había sido una enorme broma. O tal vez se pondría pálido y correría espantado para alejarse de mí.

Pero tan pronto terminó de leer, me devolvió el papel. Luego me miró a los ojos.

—Entonces, cuando te conviertas definitivamente en vampiro, ¿cómo lo sabremos? —me preguntó.

Tal vez porque dijo "sabremos", en plural, sentí ganas de abrazarlo. Afortunadamente, pude resistir la tentación.

—Gracias —le dije, con la esperanza de que pudiera ver la gratitud retratada en mi cara. Tomé el papel y lo arrugué, metiéndolo en el fondo de mi mochila—. Gracias por no salir corriendo.

—¿Estás bromeando? —dijo Henry negando con la cabeza y con los ojos brillando de entusiasmo—. Siempre supe que ese tipo de cosas existían en la vida real. Pero nunca hablo de eso con mis amigos. Una vez traté de preguntarle a Roger si creía en fantasmas, y me dijo que era un tonto.

—Bueno, eres un tonto, pero ese es un cuento aparte —respondí.

Fue divertido burlarme de Henry para variar. Él sonrió.

—Oye, cuidado. Solo porque eres un vampiro novato no significa que debas ser tan mala.

—¿Novato? —susurré—. ¿Soy un vampiro novato?

—Eso creo —dijo Henry, tomando el libro titulado *En la sangre*—. El año pasado leí un libro como este que decía que a los vampiros que no han madurado por completo se los llama novatos.

Abrió el libro y examinó la primera página.

—No lo recuerdo —añadió—, pero estoy seguro de que existe un ritual al que deben someterse los vampiros novatos para alcanzar la madurez.

—¿De verdad? —susurré, sintiendo un nudo en el estómago. Tomé el libro *Colmillos para los recuerdos*—. Tal vez este libro nos diga algo más.

—Veamos —dijo Henry con determinación.

Escondidos en un rincón oscuro y polvoriento de la biblioteca, Henry y yo nos pusimos a estudiar. Henry tomó el libro *En la sangre* mientras que yo hojeaba *Colmillos para los recuerdos*, e intercambiábamos los libros cada vez que encontrábamos algo que nos llamaba la atención.

Colmillos para los recuerdos no ofreció mucho más que una lista de películas y libros sobre vampiros a través del tiempo. Henry me dijo que él tenía la mayoría de esas películas, y que si fuera necesario para nuestra investigación, podríamos verlas.

En la sangre no decía mucho más sobre las características de los vampiros que lo que había leído en Internet. Sin embargo, me enteré de que los murciélagos vampiros a menudo tenían ojos rojos, y que "vampiro" en rumano se dice *nosferatu*, que suena aun más espantoso.

Pero fue en las arrugadas páginas de *El vampiro* que encontramos la información más valiosa. Había un capítulo llamado *Las dinastías de Transilvania*. Henry acercó su silla a la mía para que pudiéramos leerlo juntos.

El capítulo hablaba de la misteriosa belleza de los montes Cárpatos y de los antiguos linajes de sangre de la región. Me ensimismé tanto que ni me acordé de que Henry y yo estábamos sentados uno al lado del otro.

Tampoco me importaba.

¿O sí?

Cuando llegamos a la segunda página del capítulo, Henry palideció y me señaló un párrafo que me heló la sangre:

Todos los vampiros conocen el importante ritual nocturno que se realiza anualmente. Los novatos reciben un llamado especial a este antiguo rito, y están obligados a participar. Es allí, entre legiones de vampiros maduros, que los novatos se transforman por primera vez en murciélagos.

—¡Lo encontramos! —exclamó, olvidándose de hablar en voz baja—. Ese es el ritual del que te había hablado.

—El ritual nocturno —murmuré.

El nombre me hizo temblar. De repente, nuestro rincón en la biblioteca me pareció más oscuro y frío que antes.

Al otro lado de la sala, el bibliotecario gritón carraspeó y nos clavó la mirada. Henry y yo decidimos ignorarlo y seguir leyendo:

Presidido por la emperatriz de los vampiros, el ritual nocturno se lleva a cabo la noche de la segunda luna llena del otoño. El evento se realiza en secreto absoluto: cada año en un lugar diferente y en un país distante, y deben pasar trece años antes de que se realice el ritual nuevamente en el mismo lugar. Se celebra bajo techo, a menudo durante un gran baile o celebración. Si hay algún impostor humano presente, será instantáneamente identificado, porque no podrá convertirse en murciélago.

—Es algo tenebroso —dijo Henry.

Me recosté en el respaldo de la silla tratando de absorber todos los detalles.

—¿Un país distante? —dije abrumada—. ¿Cómo se supone que yo podré asistir al ritual? Ni siquiera me permiten viajar sola en avión.

—Bueno, es en un país distante de Transilvania —dijo Henry, señalando el texto con el dedo—. Eso significa que podría ser en cualquier lugar. Incluso aquí, en Nueva York.

Algo me vino a la mente. Algo que alguien me había dicho recientemente sobre Nueva York, y que había ocurrido trece años atrás. ¿Qué era? Cerré los ojos y traté de recordar la conversación.

—¿En qué piensas? —me preguntó Henry.

—Lo que yo pienso es que ustedes dos son muy ruidosos.

La voz del bibliotecario gritón nos hizo saltar. Estaba parado frente a nuestra mesa, regañándonos con la mirada.

—Están hablando en un tono poco apropiado para la biblioteca —dijo—. Me temo que me veré obligado a pedirles que lleven su pequeña investigación a otro lugar.

¿En serio? Henry y yo nos miramos. ¿El hombre con la voz más escandalosa del planeta nos estaba diciendo que éramos demasiado ruidosos? Hubiera sido cómico de no ser porque estaba arruinando por completo nuestra investigación.

—Perdone —dijo Henry tratando de ocultar una sonrisa mientras recogíamos los libros.

Aún molestos con el bibliotecario, tomamos el

ascensor hasta el lobby, donde ambos registramos los libros que estábamos tomando prestados de la biblioteca. Luego salimos del edificio y nos encontramos con la brillante luz del sol.

Mientras cruzábamos la calle, busqué mis anteojos de sol en la mochila. Pero antes de ponérmelos vi algo que me hizo frenar en seco. En la esquina había un puesto de periódicos con un letrero anaranjado y negro que decía:

NO SE PIERDAN LA EXHIBICIÓN

CRIATURAS NOCTURNAS

QUE SE INAUGURARÁ EL SÁBADO 1ro DE NOVIEMBRE EN EL

MUSEO DE HISTORIA NATURAL

Mi corazón comenzó a latir con fuerza. La exhibición. Tía Margo. Los murciélagos. Nueva York.

Eso era lo que me había estado dando vueltas en la cabeza: ¡una conversación sobre la tía Margo! El jueves por la mañana mamá me había contado que Margo había estado en Nueva York hace trece años.

Trece años.

Recordé también que en el noticiero una señora había dicho algo sobre ataques a animales ocurridos en el Parque Central trece años atrás.

Me puse a temblar. Esa era la pista. Tenía que serlo.

—¿Qué te sucede? —me preguntó Henry al ver mi expresión.

Lo miré fijamente.

—Creo que acabo de descubrir algo.

Sin decir una palabra, nos sentamos en el banco más cercano y saqué *El vampiro* de mi mochila. Busqué rápidamente la página que habíamos estado examinando antes, y leí en voz alta:

Deben pasar trece años antes de que se realice el ritual nuevamente en el mismo lugar. Se celebra bajo techo, a menudo durante un gran baile o celebración.

Me sentí poseída por el miedo y la emoción.

—Henry, la última vez que mi tía visitó Nueva York fue hace trece años, y estoy segura de que en ese entonces estaba acompañada por otros vampiros. No sé qué clase de fiesta o baile se celebró en esa ocasión, pero ahora estará presente en la fiesta del Museo de Historia Natural. La inauguración de la exhibición Criaturas Nocturnas es este viernes, el Día de Halloween.

Henry no podía creer lo que acababa de escuchar.

—¡Halloween! —susurró—. ¡Habrá luna de sangre esa noche!

—¿Qué es una luna de sangre? —pregunté tratando de no temblar.

—Eso es lo que a veces se dice de la luna llena de octubre o noviembre, porque es de color rojizo —explicó—. Pero escucha... debido a que ya hubo luna llena en septiembre, la del 31 de octubre será la *segunda luna llena de este otoño*.

Nos miramos sin lograr articular palabra.

Todo comenzaba a tener sentido. Todo. La fiesta del museo ofrecería la distracción perfecta, y como el museo es tan grande, habría muchos lugares donde esconderse. Mi imaginación se desbocó al recordar todos esos salones y corredores. Las salas de los dinosaurios, los dioramas de animales, la gigantesca ballena azul y el planetario.

"¿Dónde se realizaría el ritual?", me preguntaba.

—Pero espera —dijo Henry interrumpiendo mis pensamientos—. ¿No crees que ya deberías haber recibido el "llamado especial", la invitación obligatoria?

Me imaginé recibiendo por correo una elegante invitación que dijera: *Está usted cordialmente invitada al ritual nocturno*. La idea me horrorizó.

—¿Te ha hablado tu tía de esa fiesta específicamente? —me preguntó.

—Ni siquiera hemos hablado mucho —suspiré—. Solo cuando recién llegó, y luego ayer por la tarde, cuando ella... —me detuve.

¿Qué me había dicho la tía antes de salir de casa?

"La noche del viernes será muy importante para ti".

El corazón me dio un vuelco. Pensé que se había referido a la fiesta, pero lo que quiso decirme fue algo totalmente diferente.

Se lo conté a Henry, que estuvo de acuerdo conmigo.

—Definitivamente, ese fue tu llamado especial —confirmó—. Ahora ya estamos seguros.

Asentí, ofuscada. Luego me miré los brazos (que pronto serían brillantes alas negras), me toqué el rostro (que pronto sería el rostro de un murciélago), pasé la punta de la lengua sobre mis incisivos (y pude imaginar los inmensos colmillos en los que pronto se convertirían). Todo eso estaba a punto de suceder. Me iba a convertir en un vampiro.

Realmente sería una gran noche.

—Una verdadera locura —murmuró Henry.

Me di cuenta de que le parecía emocionante que me estuviera embarcando en esta aventura. Mientras tanto, yo no sabía qué pensar de todo lo que estaba sucediendo.

—¿No te parece peligroso ir sola al museo? —me preguntó Henry—. Tal vez algunos amigos deberían acompañarte.

—Tal vez —dije.

De repente, se me heló el corazón. Con toda la emoción de la tarde, había olvidado algo por completo.

—Hay algo más —suspiré recostándome en el banco.

—¿Qué? —dijo Henry preocupado.

—¡El baile de Halloween! —exclamé—. Es exactamente a la misma hora. Y ya oíste lo que dijo Ashlee. Ahora que estoy a cargo de las decoraciones, *tengo* que estar ahí.

—¡Pero no puedes faltar al ritual nocturno! —me recordó mi nuevo amigo dándome el libro *El vampiro*—. Aquí dice que todos los novatos están obligados a asistir.

—Lo sé —dije ocultando la cara entre mis manos. Mi viejo problema estaba regresando para torturarme.

—A menos que... —comenzó a decir.

Lo miré esperanzada.

—A menos que hagas todo lo del baile de Halloween rápidamente, y luego vayas corriendo al museo —dijo—. Está a solo dos cuadras de la escuela.

Me quité el flequillo de la frente. ¿Cómo podría decorar el salón en el que se celebraría el baile de Halloween y llegar a tiempo a mi iniciación de vampiro, especialmente ahora que Gabby me había negado su ayuda?

—Yo te ayudaré —me aseguró Henry.

—¿En serio? —dije sorprendida.

—Bueno, no soy experto en decoraciones —dijo sonriendo—, pero puedo hacer el esfuerzo. Y puedo mantener a Ashlee distraída cuando necesites salir.

Fruncí el ceño. Estaba agradecida, pero también confundida.

—No entiendo —le dije de plano. Debe de haber sido la nueva y poderosa Emma Rose la que se atrevía a hablar tan valientemente—. ¿Por qué estás siendo tan amable conmigo? En la escuela lo único que haces es burlarte de mí y llamarme Pálida Paley.

Henry se sonrojó, y se pasó una mano por el cabello nervioso.

—Bueno, humm, es que quiero saber cómo terminará toda esta historia de vampiros —dijo tartamudeando, sin responder realmente a mi pregunta. Luego miró su reloj—. ¡Huy! Se me había olvidado que tengo que encontrarme con Roger para jugar fútbol en el parque.

Yo también miré el reloj.

—Ay, mira la hora, tengo que reunirme con mi papá.

Seguramente me estaba esperando frente a la biblioteca para acompañarme a casa.

Nos levantamos.

—Muy bien, entonces, buena suerte. Supongo que podemos seguir hablando de esto en la escuela, si es necesario —dijo Henry.

—Supongo que sí —respondí, todavía incrédula en cuanto a todo lo ocurrido.

Me despedí de Henry, y comencé a alejarme de él.

—Oye, Emma Rose —me llamó.

Miré hacia atrás.

—No le hablaré a nadie de esto —dijo con una mirada solemne—. Te lo prometo.

¿Emma Rose?

¿Me había llamado *Emma Rose*?

—Gracias —respondí, y seguí caminando con mil cosas en la mente.

Era la primera vez que Henry Green había pronunciado mi verdadero nombre. Pero no podía pensar en Henry ahora. En menos de una semana, mi vida cambiaría para siempre.

Capítulo once

Una confusión total. Esa es la mejor manera de describir los días previos a Halloween.

El domingo, cada vez que traté de leer *El vampiro*, me puse tan nerviosa pensando en el ritual nocturno que tuve que hacer el libro a un lado. Luego le escribí un correo electrónico a Gabby, en parte para pedirle disculpas y en parte para expresar mi molestia. Pero no tuve el valor de enviárselo. Finalmente hice algunos dibujos en los que tal vez incluí la cara de Henry Green.

El lunes por la mañana me despertó la alarma de mi teléfono celular. Era un mensaje de texto de Gabby, pero lamenté comprobar que no me estaba escribiendo para pedirme disculpas. Era el mensaje más frío de toda la historia.

No iré a buscarte para ir a la escuela.

Me da igual, le contesté, presionando las teclas con tanta fuerza que casi rompo el teléfono.

Muy bien, respondió Gabby, con tal de decir la última palabra.

Estaba tan furiosa mientras tomaba el desayuno que echaba humo por las orejas. Cuando mamá y papá me preguntaron qué me sucedía, les dije que Gabby y yo habíamos tenido un "malentendido" y no ofrecí más detalles. No quería abrumarlos con mis problemas, sabiendo que pronto tendrían un vampiro de verdad viviendo bajo su mismo techo.

"¿Seré un peligro para ellos?", me pregunté mientras caminaba hacia la escuela con papá. ¿Le chuparía la sangre a mis propios padres? O tal vez trataría de hacerlo, y ellos se verían obligados a encerrarme en una jaula como las de los murciélagos de tía Margo.

"Y si me vuelvo nocturna, ¿podré seguir asistiendo a la escuela?" Un millón de preguntas me daban vueltas en la cabeza.

Pronto me di cuenta de que mi pelea con Gabby era una insignificancia en comparación con mis nuevos problemas.

En la escuela, Gabby y yo evitamos encontrarnos, lo cual resultó fácil porque no teníamos clases juntas.

Padma y Caitlin, con quienes sí compartí algunas clases, me miraron cautelosas y dijeron que esperaban que Gab y yo volviéramos a ser amigas, ya que sería muy incómodo que siguiéramos peleadas.

A la hora del almuerzo resolví el problema para todas optando por pasar de largo la mesa en la que estaban sentadas. Me senté con Zora, Janie y Matt, del consejo estudiantil. Hablamos de los planes para el baile y traté de apartar de mi mente esa otra grave situación que tendría que enfrentar la noche del viernes.

No me sorprendió mucho que Gabby faltara a la reunión del consejo estudiantil esa tarde. Henry me llamó Emma Rose (¡nuevamente!) cuando pasó lista. Incluso la Sra. Goldsmith se mostró un poco sorprendida. Sin embargo, ese fue el único signo que dio Henry de nuestro encuentro del sábado. La mayor parte del tiempo guardó silencio, al igual que Ashlee, que parecía deprimida. Zora, Matt, Janie y yo fuimos los que más hablamos. Matt informó a todos que había conseguido el permiso para que usáramos el esqueleto del laboratorio de ciencia, y pidió a los asistentes que trajeran manzanas para llenar el caldero.

El martes y el miércoles pasaron de la misma manera. Lo increíble era que, a pesar de mi estado mental, seguía siendo y comportándome como la nueva Emma Rose. Parecía que mis habilidades se agudizaban cuanto más me acercaba a mi iniciación. En la clase de gimnasia jugué con destreza, lo que hizo que la entrenadora Lattimore me llamara a un lado para preguntarme si consideraría formar parte del equipo de la escuela.

Pero no pude compartir ninguno de esos triunfos con Gabby. Nunca antes habíamos pasado tanto tiempo sin hablarnos. Todo era muy extraño.

El miércoles por la noche, bastante tarde, estaba en mi cama y pensé en ella, y en la posibilidad de que al convertirme en una criatura de la noche perdería a todos mis amigos. (Aunque probablemente tendría nuevos amigos con colmillos). De pronto, oí que una llave abría la puerta del apartamento. Me levanté de un salto. Mamá y papá se habían acostado hacía horas.

Salí de mi cuarto y eché un vistazo por el pasillo. Tal como lo había pensado, mi tía Margo se dirigía al cuarto de huéspedes con la maleta en la mano. No se percató de mi presencia.

Gracias a la luz de la luna que entraba por las ventanas, pude ver que lucía menos pálida que de costumbre. ¿En qué clase de spa había estado? ¿Sería un oasis para vampiros, con bebidas gourmet hechas con sangre y lujosas cuevas de murciélago para pasar la noche? Y, cuando me llegara la hora, ¿iría yo también a ese spa?

Regresé a la cama y traté de quedarme despierta para intentar adivinar qué hacía mi tía. Pero me venció el sueño. Volví a tener la pesadilla de los ojitos brillantes, pero esta vez el terror parecía demasiado real.

Al despertar, me di cuenta de que era jueves. Estaba bañada en un sudor frío. La reunión del consejo estudiantil... Con razón tuve la pesadilla. Quería enviarle un texto a Gabby para contárselo, pero todavía no me sentía lista para buscar una reconciliación.

Tenía la esperanza de cruzarme con mi ex mejor amiga en los pasillos de la escuela. Durante el almuerzo me senté con los chicos del consejo estudiantil, pero apenas presté atención a Janie mientras describía los ruidos raros que había bajado a su iPod para el baile. Cuando miré por encima del hombro,

Caitlin y Padma me saludaron, pero Gabby me ignoró, concentrándose en la ensalada que tenía delante.

En la reunión del consejo, me sorprendió ver a Gabby en su asiento habitual, al fondo del salón. Sin mirarla, yo también ocupé mi asiento de siempre. Cuando saqué mi cuaderno y una pluma, Gabby se inclinó para escribirme, como en los viejos tiempos.

Creo que estás siendo inmadura, escribió con su letra clara y precisa.

Me enfadé. ¡Vaya atrevimiento!

¿Yo?, le escribí. *Tú eres la que ha puesto a todas nuestras amigas en mi contra.*

¡NO es verdad!, respondió, poniéndose colorada y dejando chorrear la punta de su pluma en mi cuaderno. *¡Tú eres la que no quiere sentarse con nosotras a la hora del almuerzo!*

Tomé mi pluma para contestarle, pero Ashlee golpeó el escritorio con su martillo.

—¡Orden! —llamó en voz alta.

No pude evitarlo. Gabby y yo nos miramos. Sabía que, a pesar de nuestra pelea, se estaba preguntando lo mismo que yo: si la presión de ser presidenta/princesa estaba comenzando a afectar a Ashlee Lambert.

Con aspecto debilitado (pero aún con fuerzas suficientes para lanzarme una mirada hosca), Ashlee nos recordó que el baile era al día siguiente. Luego le pidió a Henry que pasara lista. Me enderecé en mi silla, ansiosa porque Gabby escuchara a Henry pronunciar mi nombre. Pero Henry, sentado en la primera fila con las piernas estiradas, no se levantó.

—Sabes, Ashlee, he estado pensando que no es necesario hacer el pase de lista en todas las reuniones. Si alguien falta de vez en cuando, ¿cuál es el problema?

El salón se llenó de murmullos y susurros. Estaba comenzando otra rebelión.

Ashlee lo miró espantada. Una vez más, la Sra. Goldsmith recordó las reglas y dijo que todos debían votar a favor o en contra de pasar asistencia. Los únicos votos a favor fueron el mío y el de Ashlee.

Ante la derrota, Ashlee pareció estar tan turbada que dio la reunión por terminada antes de tiempo, y salió disparada con Eve. Los demás aplaudieron, desesperados por disfrutar de la tarde libre. Cuando estaba por agarrar mi mochila, Henry se acercó a mi escritorio.

—Hola —me dijo.

—Oh, hola —respondí, quitándome el cabello de la cara y sintiendo que me sonrojaba.

—Solo quería agradecerte —dijo Henry con una sonrisa.

—¿Agradecerme por qué? —pregunté, haciendo girar mi pluma entre los dedos. Casi podía *sentir* a Gabby tratando de escuchar la conversación.

—Por inspirarme a enfrentarme a Ashlee —dijo con una sonrisa—. Es fácil olvidar que ella no manda en el séptimo grado.

Asentí, feliz de que Henry hubiera encontrado inspiración en mí. Me pregunté si seguiría fingiendo que no había sucedido nada el sábado.

—Dime, ¿estás... preparada para mañana? —preguntó bajando la voz.

—Claro que sí —mentí nerviosa.

—Bueno —dijo dudoso. Pero levantó los hombros, metió las manos en los bolsillos y se marchó tranquilamente para reunirse con Roger.

En cuanto se alejó, Gabby me tocó un hombro.

—¿Qué fue eso? —susurró, con la mirada llena de curiosidad.

Una parte de mí se moría de ganas de contárselo, pero había mucha gente cerca. Además, todavía estaba molesta por nuestra batalla de notas.

—Nada —dije fríamente, y me puse de pie—. De todos modos, no me creerías.

Esa noche papá y yo cenamos solos. Mamá y tía Margo tenían que quedarse hasta tarde en el museo para preparar la inauguración de la exhibición. Mientras daba vueltas a los espaguetis en mi plato, papá me preguntó qué disfraz había elegido para Halloween. (Él y mamá ignoraban que iría a la fiesta del museo).

Me di cuenta de que por estar tan obsesionada con mi ritual nocturno y mi transformación, no había pensado en el disfraz para el baile. Ahora ya no tenía tiempo para preparar el de la Hermione goda.

Al terminar la cena, hurgué por todo mi cuarto en busca de otras alternativas. Al sacudir mi mochila cayeron dos objetos: la página arrugada donde había escrito mi confesión para Henry en la biblioteca y el par de colmillos que me había regalado Gabby.

Me quedé con ambas cosas en la mano, y me di cuenta de que la respuesta obvia había estado todo el tiempo delante de mis ojos.

Me disfrazaría de mí misma.

*   *   *

El viernes amaneció húmedo y gris, el clima perfecto para Halloween. Me puse la ropa que había planeado usar para la fiesta del museo: mi falda negra de satén y la blusa morada con vuelos en el pecho. Como era una tradición de la West Side Prep que todos los estudiantes fueran disfrazados el Día de Halloween, me puse los colmillos de plástico. Los sentí tan naturales como imaginaba. Me puse polvo blanco en las mejillas para enfatizar aun más mi palidez, rímel en las pestañas y dibujé dos líneas con lápiz labial rojo desde mi boca hasta el mentón. Me puse una cinta negra alrededor del cuello, y me miré en el espejo.

Aunque ya lo esperaba, no dejó de sorprenderme lo mucho que me parecía a mi tía Margo.

"Será mejor que te acostumbres", pensé mostrando los colmillos.

—¡Qué susto, un vampiro! —exclamó papá cuando entré a la cocina. Se puso las manos en el corazón y sonrió pícaramente.

—Ay, papá. Ya no tengo seis años —dije, dejando caer al suelo mi pesada bolsa de decoraciones—. Ya no tomo tan en serio Halloween.

"A menos que involucre un antiguo ritual de vampiros", pensé.

—Pero luces fantástica, Emma Rose —dijo mamá entregándome un vaso de jugo de arándanos—. Qué lástima que tu tía Margo ya se haya ido al museo y no te pueda ver así. ¿Sabías que existen muchas leyendas de vampiros en la ciudad donde vive? Bueno, en realidad en toda la región. ¿No es divertido?

Miré a mamá. Había muchas cosas que hubiera podido responderle, pero decidí limitarme a beber el jugo.

La escuela estaba repleta de fantasmas, superhéroes, hombres lobo, piratas y princesas. Por supuesto, Ashlee Lambert era una de las princesas; llevaba un vaporoso vestido rosado y hasta una brillante tiara. Eve y Mallory estaban disfrazadas de ángeles, lo que me causó risa. Y Gabby, Caitlin y Padma estaban vestidas de hadas, y eso me molestó muchísimo. Otras chicas también se habían disfrazado de vampiros, pero Zora (vestida de mariquita) dijo en el almuerzo que ninguna se veía tan auténtica como yo.

Había un solo chico vestido de vampiro, y me lo encontré cuando iba a la clase de ciencia.

—¡Qué sorpresa! —me dijo Henry con la boca abierta al ver mis colmillos y mi maquillaje.

—¡Qué sorpresa! —respondí, observando *sus* colmillos y su maquillaje.

—Oye, yo tenía planeado este disfraz desde mucho antes del sábado —comentó riendo y acercándose a mí—. ¿Vas a ir con ese disfraz a... donde tú sabes? —susurró.

Negué con la cabeza.

—Con suerte tendré tiempo de quitarme el maquillaje antes...

—Hola, Drácula —dijo Roger acercándose a Henry.

Aproveché para alejarme mientras me preguntaba si Henry seguiría dispuesto a ayudarme a organizar el baile.

Cuando sonó el timbre de salida, Zora, Janie y Matt me ayudaron a llevar todas las decoraciones hasta la puerta del gimnasio. Luego mis nuevos amigos se dispersaron prometiendo liberarse a tiempo de sus otros compromisos para venir a ayudarme. Levanté las dos pesadas bolsas y entré sola al gimnasio vacío.

—Feliz Halloween —dijo Gabby.

Estaba sentada en las gradas. Su expresión era muy seria; bueno, tan seria como puede serlo en una persona que tiene las mejillas doradas y lleva antenitas en la cabeza.

—¿Qué haces aquí? —le pregunté, sorprendida de verla.

Gabby se puso de pie, meciendo sus alas doradas.

—¿De verdad pensaste que no vendría a ayudarte? —preguntó con voz suave.

—Bueno, es que la semana pasada dijiste...

—Dije muchas cosas —admitió—. Cosas que no quise decir.

La miré de frente. Estaba bajando de las gradas. ¿Me estaría pidiendo disculpas?

—También yo hablé demasiado —respondí.

Recordé las cosas crueles que nos habíamos dicho el viernes anterior, y me invadió un sentimiento de culpa. Al ver allí a Gabby comprendí la falta que me había hecho.

—Me gusta tu disfraz —me dijo sonriendo tímidamente.

—Gracias. —Yo también sonreí—. Creo que es por los colmillos.

Gabby negó con la cabeza.

—Fue un regalo imprudente —dijo.

—No —protesté, y sentí un nudo en la garganta—. No lo aprecié en ese momento.

Me di cuenta de que había sido demasiado dura con Gabby cuando ella solo había tratado de ayudarme, a su manera.

—Tu disfraz también está muy bonito —le dije señalando su ropa.

—Caitlin y Padma me copiaron —confesó enfurruñada—. Cuando nos juntamos anoche para planear nuestros disfraces, en lo único que yo podía pensar era en cuánto más divertido hubiera sido estar contigo.

Bajó la mirada, mordiéndose el labio, y mis ojos se llenaron de lágrimas.

—¿Tú también te sentiste triste esta semana? —pregunté.

—Totalmente —respondió con voz temblorosa y a punto de llorar.

En ese momento me di cuenta de lo tontas que habíamos sido al pelear por tan poca cosa. Nada podría impedir que fuéramos mejores amigas. Ni siquiera el hecho de que yo fuera un vampiro.

Gabby debió sentir lo mismo, porque se acercó y me dio un abrazo. Ambas lloramos y nos reímos al mismo tiempo.

—No sabes cuánto lo lamento —dijo Gabby—. Lamento no haberte creído. Fui una muy mala amiga.

Retrocedió y se secó las lágrimas, llenando sus dedos de brillos dorados.

—No pasó nada —le dije de corazón. Me limpié las lágrimas con cuidado para que no se me corriera el rímel—. Yo también lo siento mucho. No debí molestarme contigo. Es que tenía tantas cosas en la cabeza, el baile y...

—Lo sé —exclamó Gabby—. Pienso que estuviste increíble al encargarte de las decoraciones. Y tenías razón. Supongo que me puse un poco celosa al ver que estabas recibiendo tanta atención —dijo con expresión de remordimiento—, pero ya lo superé. Espero que sepas que estoy realmente feliz por ti, Em.

Oír que volvía a llamarme Em me levantó el ánimo.

—Ya lo sé —le respondí suavemente.

Gabby respiró profundo y se ajustó las antenitas.

—Y también me siento mal por no haberte prestado atención con respecto a las otras cosas. —Aunque no había nadie más en el gimnasio, bajó la voz—. Después de nuestra pelea, busqué en Google temas sobre vampiros y Transilvania, y tengo que admitir que mucho de lo que dijiste tiene sentido. Incluso quise mandarte algunos enlaces, pero soy demasiado orgullosa.

—Yo también tuve ganas de enviarte correos —dije—. Creo que ambas somos muy orgullosas y testarudas. Tal vez es por eso que somos buenas amigas.

A pesar de que sabía que me esperaba una noche importante y difícil, en ese momento tuve ganas de saltar de alegría.

—Bueno, tienes que ponerme al día —susurró Gabby con los ojos brillantes—. ¿Hay alguna novedad sobre tu tía Margo? Me muero de curiosidad.

—Sí que hay novedades —respondí sintiendo mariposas en el estómago.

Mientras sacábamos las decoraciones de las bolsas, le conté todo lo acontecido últimamente, desde lo que Henry y yo habíamos descubierto en la biblioteca hasta mi misión secreta esa noche. Gabby no pareció dudar ni una vez sobre lo que le contaba. En lugar de eso, me escuchó con mucha atención.

—¿Entonces es eso lo que estabas comentando ayer con Henry? —exclamó cuando terminé mi relato—. No puedo creer que ahora tú y él sean amigos, Em. ¿Sabes lo que creo? —añadió con entusiasmo—. Creo que tú le gustas.

Me ardieron las mejillas.

—¿Qué? No. Solo está interesado en cosas de vampiros. Es por eso que me ayudó en la biblioteca.

Gabby negó enfáticamente con la cabeza.

—Por favor, es tan evidente. ¿Por qué crees que te hace bromas todo el tiempo? ¡Es porque le gustas!

—¡Que no! —respondí con firmeza—. Créeme, Gabby, a Henry Green no...

Antes de que pudiera terminar, se abrieron las puertas del gimnasio y se oyó una voz masculina resonando en el salón.

—¿Sabían que hay un esqueleto en el pasillo? —preguntó Henry.

Gabby y yo nos miramos con horror, temiendo que hubiera escuchado nuestra conversación.

—Yo... sí —dije tartamudeando. Me había agarrado desprevenida. Bajé la cabeza para que Henry no viera que estaba roja—. Y tengo que traerlo.

—Yo lo traigo —dijo. Su capa negra se arrastraba a su paso—. ¿Qué hacen conversando sin hacer nada? Ni siquiera han comenzado a colgar las decoraciones.

—Oh, tienes razón —exclamó Gabby observando las ventanas sobre las gradas. Estaba comenzando a oscurecer—. Tenemos que terminar a tiempo, para que puedas ir al museo —dijo, y miró a Henry, que levantó las cejas sorprendido—. Sí, lo sé todo —añadió Gabby—. Soy la mejor amiga de Em.

Le sonreí, y luego abrí una bolsa de globos mientras Henry salía al pasillo en busca del esqueleto y el resto de las decoraciones.

—Ya está —dijo Gabby sacando las banderolas negras—. La operación Halloween de Hollywood ha comenzado.

Los tres nos pusimos en acción. Mientras Henry desenrollaba la alfombra roja y probaba los ruidos tenebrosos de su iPod, Gabby y yo inflamos globos, colgamos banderolas y pegamos las calcomanías en la pared. Una hora después, el lugar estaba completamente transformado. Retrocedimos para admirar nuestro trabajo.

El gimnasio parecía una casa embrujada. La máquina de humo llenaba el lugar de neblina mientras el iPod emitía los gruñidos de un zombi. Las paredes estaban cubiertas con calcomanías brillantes de calaveras, fantasmas y telarañas, y en la pared del fondo se veía una calcomanía con la palabra Hollywood escrita con letras retorcidas. Globos negros y anaranjados, con banderolas de los mismos colores, colgaban del techo y rozaban la cabeza de nuestro esqueleto, que estaba en la puerta para recibir a los asistentes.

—Creo que está perfecto —dijo Gabby, enderezando con el pie una esquina de la alfombra roja—. Todo gracias a ti, Em —agregó aplaudiendo, y me sentí avergonzada.

—No hubiera podido hacerlo sin ustedes —dije honestamente—. Y Zora, Janie y Matt —añadí.

—Es posible —dijo Henry—. Pero fue tuya la genial idea de hacerlo de esta manera.

Sentí que volvía a sonrojarme cuando Eve Epstein entró al gimnasio.

—¿Quién hizo la decoración? —preguntó, arreglándose el halo.

—Tú no —dijo Gabby.

Me tapé la boca para no reír.

—Emma Rose. Fue ella quien hizo todo esto —dijo Henry señalando al gimnasio.

Eve estaba impresionada, pero luego recuperó su arrogancia.

—Quedó bastante bien —dijo, y sacó su celular del bolsillo de su vestido blanco—. Le enviaré un texto a Ashlee para decirle que está todo aprobado.

—¿Dónde está Ashlee? —pregunté, buscando las tijeras para cortar un trozo de cinta adhesiva.

—Tenía que asistir a un compromiso importante —respondió Eve mientras escribía el texto—. Vendrá al baile más tarde.

—¿Más tarde? —pregunté irritada.

Ashlee me había exigido que viniera temprano, y por otro lado ella sí podía darse el lujo de llegar tarde. Como siempre, una egoísta.

—Em —susurró Gabby mostrándome su reloj—. Ya es casi la hora.

Mi corazón dio un vuelco. El plazo se había cumplido.

—Cierto —dije guardando las tijeras—. Voy a quitarme el maquillaje.

No podía ir a la fiesta del museo disfrazada; tenía que lucir presentable.

Gabby asintió.

—Henry y yo te esperaremos afuera —dijo.

—¿Esperar, para qué? —pregunté mirándolos—. ¿Piensan venir conmigo?

—Por supuesto —dijo Henry mientras Eve inspeccionaba la máquina de hacer humo—. Tenemos que asegurarnos de que por lo menos llegues al museo sin problemas.

Me sentí profundamente agradecida. Hasta ese momento no tenía idea de hasta qué punto los buenos amigos podían ser importantes. Pero antes de poder darles las gracias, las puertas del gimnasio se abrieron de golpe y entraron Zora, Janie y Matt, junto con todos los paparazzi voluntarios armados de cámaras fotográficas.

—Perdón por el retraso —dijo Zora—. Todo se ve increíble.

—Pues llegaron justo a tiempo —respondí entregándole las tijeras y la cinta adhesiva—. Ahora tengo que salir, pero volveré más tarde.

Lo que no dije fue que tal vez volvería en forma de murciélago.

Capítulo doce

Mientras caminábamos de prisa las dos cuadras hasta el museo, observé que la luna llena estaba baja y el cielo estrellado.

"Una luna de sangre", pensé al ver el brillo rojizo.

Era una noche fría. Algunos de los árboles del Parque Central habían perdido las hojas, y sus ramas desnudas se extendían como los brazos de un esqueleto. Sentí un escalofrío y lamenté no haberme puesto una chaqueta sobre la blusa de vuelos.

El Museo de Historia Natural, un edificio majestuoso con columnas de mármol, se veía aun más imponente que de costumbre. Estaba iluminado desde la base, y una bandera anaranjada y negra que decía CRIATURAS NOCTURNAS colgaba de la entrada.

Brillantes limosinas negras estaban estacionadas al frente, y mujeres con vestidos elegantes y hombres de traje subían la escalinata para mostrar sus invitaciones a los guardias de seguridad.

Me di cuenta de que Gabby, Henry y yo teníamos un aspecto singular: un apuesto vampiro, un hada bonita y una chica pálida y temblorosa. Nos detuvimos frente a la gran estatua de Theodore Roosevelt y su caballo.

—Hasta aquí —dijo Gabby entregándome su pequeño bolso negro—. Puse dentro tu celular. Si necesitas algo, llámame o envíame un mensaje de texto.

—No creo que un murciélago pueda enviar mensajes —respondí con los dientes castañeteando.

—Bueno, entonces llámanos cuando el ritual haya terminado —susurró Henry—. Vendremos a buscarte.

Yo estaba hecha un manojo de nervios.

—Esperen, ¿quieren decir que no me esperarán aquí?

Gabby y Henry negaron con expresión de tristeza.

—Tenemos que regresar al baile al menos por un rato —explicó Henry—, si los tres desaparecemos, podría parecer sospechoso.

—Y, además... humm... —Gabby jugueteó con una de sus antenitas, sonriendo tímidamente—, tengo que reunirme con Milo en la escuela. Creo que ya está allí.

Por un segundo olvidé por completo el ritual nocturno.

—¿Milo, el de la clase de ballet? —pregunté—. ¿Estará en el baile?

Gabby asintió sonrojándose.

—El miércoles, después de ballet, le pregunté si quería ir al baile de Halloween de la West Side Prep. ¡Y me dijo que sí! Tenías razón, Em, solo necesitaba armarme de valor.

—Oh, Gab —exclamé feliz por mi amiga.

Le di un abrazo, y Henry nos miró sonriendo.

—Está bien, entonces vayan a divertirse en Halloween de Hollywood —dije despidiéndome—. Tal vez nos veamos más tarde... o tal vez no.

No tenía idea de lo que me esperaba en el futuro. Después de convertirme en vampiro, ¿podría seguir llevando una vida normal? ¿Ir a la escuela? ¿Conservar mis amigos?

—Claro que te veremos —dijo Gabby con firmeza, dándome otro abrazo—. Estaremos contigo, pase lo que pase.

Henry pareció un poco avergonzado ante esa declaración, pero de todos modos asintió, fijando sus ojos verdes en mí.

—Solo recuerda que tienes que ser valiente —susurró Gabby con una sonrisa.

Tras desearme suerte, Gabby y Henry bajaron la escalinata. Luego, con el corazón latiendo a mil, caminé hasta la entrada del museo. Una pareja elegante que estaba delante de mí le mostró al guardia de seguridad su invitación color marfil. Yo no tenía invitación, pero sabía que entrar al museo sería la parte más fácil de la noche.

Los guardias de turno eran Timothy, que siempre me regalaba dulces cuando era niña, y Erica, una mujer muy seria. Al acercarme, oí que Timothy le decía a Erica:

—Y todavía no han podido averiguar cómo se abrieron esas jaulas todas las noches.

—Creo que les pasa algo raro a esos murciélagos —respondió Erica.

Se me heló la sangre. Erica no sabía cuánta razón tenía. En el fondo quería decirles toda la verdad, advertirles que se iba a realizar un ritual nocturno, pero en ese momento Timothy me vio y sonrió.

—Emma Rose —dijo—, vaya, cómo has crecido. Hace mucho tiempo que no vienes al museo.

Estaba tan feliz de verme que no tuve el valor de decirle nada. Opté por mostrarme serena y tranquila.

—¡Hola, Timothy! —dije—. ¿Ya llegaron mis padres? Se suponía que vendría con ellos, pero me retrasé en la escuela.

—Sí, ya llegaron —dijo Timothy haciéndose a un lado para dejarme entrar—. También ha llegado tu tía. Es una persona muy especial.

—Es algo rara —murmuró Erica. Pero cuando la miré, sonrió—. Hola, Emma Rose.

La saludé y entré al ruidoso lobby.

La fiesta había empezado. Todos los invitados lucían sus mejores trajes y conversaban mientras bebían champaña. Se escuchaba música clásica, entre las columnas brillaban luces plateadas y los camareros pasaban bandejas con bocaditos de salmón y rollos de vegetales. Pude ver al alcalde y a tres estrellas de cine. Por un momento me relajé y comencé a disfrutar del glamour que reinaba en el ambiente.

De pronto, vi a mis padres, que estaban bastante

cerca. Retrocedí y me escondí detrás de una columna. No podía permitir que papá y mamá supieran que estaba allí porque me harían demasiadas preguntas. Desde mi escondite secreto vi que mamá lucía hermosa con un elegante vestido verde y papá estaba muy apuesto con su traje de etiqueta. Disfrutaban de unos bocaditos y hablaban con alguien a quien no pude distinguir. Cuando el camarero que me bloqueaba la vista se alejó, vi que ese alguien era mi tía Margo.

Tenía un vestido negro largo con un chal de encaje también negro, guantes negros y un collar de rubíes. Se estaba riendo, y se veía tan serena como el cielo de la noche.

"Entonces el ritual aún no ha comenzado", pensé. Me pregunté si recibiría alguna señal cuando fuera a comenzar.

Mamá golpeó su vaso con un tenedor y le pidió a la gente que atendiera. La música paró, y reinó el silencio en la enorme sala. Yo permanecí detrás de mi columna, rezando para que mis padres no me vieran.

—Buenas noches —dijo mamá—. Mi nombre es Lillian Paley, y tengo el honor de darles la bienvenida a la inauguración de la exhibición Criaturas Nocturnas. Muchas personas han ayudado a que esta muestra sea tan informativa como interesante, y esta noche quisiera darles las gracias. Para comenzar, tengo el placer de presentarles a Margaret Romanescu, una de las principales expertas del mundo en murciélagos y taxidermia. ¡Además, es mi tía!

Los presentes rieron y aplaudieron.

—Es un gusto compartir con todos ustedes —dijo mi tía Margo con su marcado acento—. Debo decir que mi sobrina, Lilly, es una excelente curadora. Cuando le sugerí la idea de hacer esta exhibición, de inmediato la aceptó y se puso en acción.

"Por supuesto, ¡había sido idea de tía Margo!", pensé estremeciéndome.

—Les pido que me perdonen ahora, pues tengo que dar algunos toques finales a la exhibición —añadió mi tía haciendo una pequeña reverencia—. Queremos que todo se vea perfecto. ¡Buenas noches!

Se dio vuelta y salió caminando hacia el corazón del museo.

Sentí un escalofrío. *Se estaba retirando de la fiesta.* Esta era la señal. El ritual nocturno estaba a punto de comenzar. Y ahora estaba segura de dónde se realizaría.

Salí lentamente de mi escondite, justo cuando mamá estaba presentando a un señor canoso al que llamó "el principal experto mundial en ratas".

Los asistentes estaban tan entretenidos aplaudiendo que nadie se dio cuenta de que yo avanzaba entre la multitud, aguantando la respiración.

De pronto, oí que alguien me llamaba.

—¡Señorita! —Miré por encima del hombro y me di cuenta de que uno de los camareros me estaba vigilando—. ¿Adónde va? —me preguntó con ese tono suspicaz que los adultos usan a veces con los chicos.

Pensé rápidamente.

—Al baño —respondí.

Y antes de que pudiera hacerme otra pregunta, me alejé lo más rápido que pude.

A lo largo del pasillo había letreros que indicaban dónde se encontraba la exhibición Criaturas Nocturnas. Los seguí con la esperanza de que no hubiera guardias patrullando por esa parte del museo y que ningún otro camarero me hubiera visto caminar hacia allí.

Corrí por las salas oscuras llenas de dioramas de animales. Esa noche, los osos, lobos, venados y antílopes disecados lucían amenazadores detrás de sus paneles de vidrio. Me dirigí a una de las salas de dinosaurios, donde los esqueletos parecían brillar como fantasmas. Atravesé la cafetería, y finalmente llegué a una puerta con un letrero que decía: LA EXHIBICIÓN CRIATURAS NOCTURNAS COMIENZA AQUÍ.

Ya era demasiado tarde para retroceder.

Atravesé la puerta en puntas de pie; mi corazón latía con fuerza. La sala estaba totalmente oscura y fría. El silencio parecía envolverme. Con la respiración entrecortada, me sequé las manos sudorosas en la falda de satén y traté de ver algo en la oscuridad. El terror recorría mi cuerpo, pero me forcé a avanzar. Tenía que hacerlo.

Y entonces lo comprendí todo.

Estaba viviendo mi propia pesadilla.

Este momento, este mismo momento, era el aterrador sueño que me había perseguido durante todo el mes pasado. Tal vez la pesadilla había sido, de alguna forma, mi llamado especial.

Lentamente, mis ojos se adaptaron a la oscuridad. Vi un gran cartel en una pared que decía: MURCIÉLAGOS. En efecto, en las vitrinas de cristal estaban los murciélagos "disecados" de mi tía Margo.

Una vez más, estaban colgando de cabeza, con los ojos cerrados como si estuvieran dormidos.

Entonces, uno por uno, los ojos de los murciélagos comenzaron a abrirse. Y exactamente como en mi sueño, tenían un brillo rojizo. Pequeños ojos de murciélagos. Ojos malignos. Y me estaban mirando.

Uno de los libros que había leído en la biblioteca decía que los ojos de los vampiros hambrientos tienden a ser rojos. Comencé a temblar incontrolablemente. Esos murciélagos debían estar muertos de hambre, pero no me atacarían... ¿O sí? Yo era uno de ellos, o lo sería muy pronto.

Los murciélagos comenzaron a batir las alas, y luego, moviéndose en sincronía, todos salieron de sus jaulas de vidrio. Sus alas negras se agitaron en el aire y sus ojos rojos brillaron aun más. Me mordí el labio inferior para no gritar.

Los observé dar una vuelta en el aire antes de volar hasta el final de la exhibición. Sabía que no me quedaba otra alternativa que seguirlos, pasando por salas llenas de animales disecados: murciélagos, mapaches, ratas, koalas y otras criaturas nocturnas.

Oí voces distantes que venían de las salas contiguas. Las voces cada vez se hacían más claras.

Me dirigí hacia el final de la exhibición. Aquí, las paredes estaban cubiertas de afiches con información científica relacionada con las criaturas de la noche. Pero el resto de la sala estaba vacía, excepto por el grupo de chicos que se encontraba en el centro. Tenían en las manos tarjetas color carmesí y estaban evidentemente aterrorizados.

Eran chicos de doce años. Lo comprendí en un instante, al examinar sus rostros cenicientos.

"Son novatos, como yo", pensé.

No estaba segura de que me hubieran visto. Sus ojos estaban fijos en los murciélagos que se habían posado en los aleros del techo. Un murciélago (el más grande, brillante y elegante, era posiblemente mi tía Margo), revoloteaba por el aire, frente al tembloroso grupo de novatos. Yo también temblaba. Tenía la boca completamente seca y no sabía si acercarme y unirme al grupo.

Pero antes de que pudiera hacerlo, el murciélago que estaba en el aire comenzó a adoptar forma humana. Sus alas se convirtieron en brazos, sus garras se volvieron piernas y pies, sus orejas se encogieron y su rostro se transformó en un rostro que yo conocía muy bien.

También me percaté con sobresalto de que no era el único murciélago del salón que se estaba transformando. Los otros murciélagos comenzaron a bajar de sus aleros, y al igual que a mi tía, a cada uno le salieron brazos, piernas, pies y manos. Sus orejas se volvieron humanas, sus trompas se redujeron y se transformaron en narices, y los ojitos rojos se volvieron más grandes, hasta que todo el espacio alrededor de los novatos quedó lleno de adultos de tamaño normal.

Los novatos gritaron aterrorizados, pero mi propio grito se quedó atascado en mi garganta. Incapaz de moverme, me quedé mirando con la boca abierta a los vampiros que me rodeaban.

Ellos, al igual que los novatos, presentaban diversas formas y tamaños. Había mujeres y hombres, vampiros altos y delgados y vampiros gordos y bajitos. Algunos tenían un aspecto cruel y emitían silbidos agresivos contra los novatos, y también había vampiros de aspecto amable que les tiraban besos. Algunos estaban vestidos de rojo, y otros de amarillo, anaranjado, verde o rosado. No parecía existir un aspecto común a todos los vampiros. Tal vez mi piel blanca y mi preferencia por los colores oscuros fuera una simple coincidencia.

Pero los vampiros tenían una cosa que los unificaba: todos tenían colmillos muy largos, blancos y afilados.

Escuché el sonido de mi propia respiración agitada. Como no había leído más del libro *El vampiro*, no tenía idea de cuáles eran los pasos del ritual nocturno. Me pregunté si cada uno de los novatos debía ser mordido por un vampiro. Me cubrí el cuello con las manos, escondiéndome lo más posible en la profundidad de la sombra.

Cuando todos los murciélagos terminaron de convertirse en humanos, la tía Margo dio una palmada y, con voz clara y autoritaria, comenzó a hablar.

—Como Emperatriz de los Vampiros, me complace darles la bienvenida al ritual nocturno número quinientos ochenta.

Quedé pasmada. ¿Mi tía Margo era la emperatriz? No sabía si sentirme orgullosa o aterrorizada.

Los vampiros aplaudieron con cortesía, y los novatos se apiñaron abrazándose unos a otros.

—No se asusten, queridos —gritó tía Margo—. Este antiguo rito marca el momento más importante de sus vidas como criaturas de la noche. Ustedes han sido llamados de todos los rincones del mundo a esta ciudad para convertirse en vampiros. Debo añadir que es un placer regresar a Nueva York después de trece largos años. El año pasado, el ritual nocturno se realizó en París, y fue un absoluto desastre por razones que no quiero mencionar aquí.

Los vampiros asintieron y gruñeron, evidentemente recordando lo sucedido.

—¡Y ahora! —tía Margo dio una palmada—. Voy a recitar el encantamiento.

—Excelente —murmuró una vampiresa, juntando las manos con avidez—. No veo la hora de comenzar la cacería esta noche.

Sentí náuseas. ¿Quería decir que luego de convertirnos en murciélagos debíamos salir a cazar? ¿Estaría yo preparada para eso?

Mi tía elevó los brazos por encima de su cabeza y se hizo un silencio tenso. Entonces pronunció una larga letanía de palabras en un idioma extranjero de sonido melodioso, que supongo que era rumano. La única palabra que reconocí fue *nosferatu*.

Vampiro.

Al terminar bajó los brazos, y los novatos comenzaron a moverse, inquietos.

Se estaban transformando.

Un chico delgado y pelirrojo fue el primero en cambiar de forma. La tarjeta carmesí que tenía en la mano cayó al suelo mientras sus brazos se convertían en largas alas rojizas. Sus brazos y piernas se convirtieron en garras, su rostro se encogió, sus orejas se agrandaron, y, de un momento a otro, era un murciélago. Un murciélago cuya boca abierta ahora revelaba largos colmillos blancos y afilados.

Mi tía sonreía de felicidad. La cabeza me daba vueltas y me retumbaban los oídos. ¿Qué sucedería ahora? ¿A quién le tocaba el turno? ¿A mí o a otro? Por primera vez esa noche, observé minuciosamente a cada novato. Vi a una chica con largos cabellos rubios y ojos celestes. Llevaba puesto un vestido de princesa y en la cabeza tenía una brillante tiara.

Mi corazón dejó de latir por un segundo.

Era Ashlee Lambert.

Estaba temblando, nunca la había visto tan sumisa. Las ideas se agolpaban en mi cabeza. ¿Era por esto que Ashlee se veía tan débil y frágil la semana anterior? ¿Era por esto que no había venido al gimnasio a ver mis decoraciones para el baile?

¿Cómo era posible que también *ella* fuera vampiro?

Me parecía imposible que la rubia, tan amante de los colores pastel, fuera en realidad una criatura de la noche. Pero mientras observaba sin poder dar crédito a mis ojos, la tiara resbaló de su cabeza y cayó al suelo haciendo un fuerte ruido. El rostro de mi compañera de clases se había encogido y su cuerpo sostenía una cabeza de murciélago.

El grito que tenía atascado en la garganta salió finalmente. Dejé caer al suelo el bolso de Gabby con mi teléfono celular, haciendo un gran estruendo.

Todos en la sala se voltearon a mirarme. En un instante, los vampiros comenzaron a rodearme. Sus brillantes ojitos rojos expresaban curiosidad y sus colmillos blancos crecían más y más a medida que se me acercaban.

Mi cabeza comenzó a dar vueltas a tal velocidad que sentí como si estuviera en una montaña rusa. Manchas negras oscurecieron mis ojos y se me doblaron las piernas. Supe que no podría mantenerme de pie.

¿Qué estaba sucediendo? ¿Me estaría convirtiendo en vampiro?

Escuché una voz familiar. Tía Margo me estaba llamando.

—¡Emma Rose!

Y entonces todo se volvió oscuro.

Capítulo trece

—¡Emma Rose! ¡Querida!

Hice un esfuerzo por abrir los ojos. Estaba acostada de espaldas, pero había algo suave debajo de mi cabeza. Mi tía Margo estaba sentada a mi lado, con la preocupación retratada en sus ojos azules.

Súbitamente lo recordé todo: el ritual nocturno, Ashlee Lambert, los murciélagos.

—¿Soy... soy un murciélago? —pregunté.

Traté de levantar la cabeza (la sentía como mi cabeza normal) y me miré los brazos, que también parecían normales.

—Por supuesto que no, querida —me respondió mi tía con dulzura.

Me ayudó a sentarme. Todavía estábamos en la sala donde se había realizado el ritual, pero ahora estábamos solas.

—¿Dónde están los otros? —pregunté, mirando a mi alrededor muerta de pánico.

—Tuvieron que... salir volando —contestó con calma—. Has estado inconsciente durante unos minutos.

—¿Me desmayé? —Sacudí la cabeza, sorprendida. Nunca antes me había desmayado—. ¿Entonces todos me vieron?

"¿Hasta Ashlee?", me pregunté.

Mi tía asintió.

—Toma, bebe esto.

Me alcanzó un vaso de cartón lleno de un líquido rojo.

—¿Qué es eso? —pregunté atemorizada.

—Jugo de arándanos —respondió sonriendo. Sus colmillos habían desaparecido, y pude ver sus dientes normales—. Tu mamá me dijo que es tu favorito.

—¿Mi mamá está aquí? —pregunté alarmada, recorriendo la habitación con la mirada.

—Psss, no —dijo mi tía, acariciándome el

hombro—. Relájate. Tus padres no saben lo que te sucedió. Ellos todavía están disfrutando de la fiesta.

Miré fijamente a mi tía, con la mente aún en blanco.

—¿Qué sucedió? —pregunté con la voz temblorosa por el miedo y la confusión.

—Primero bebe, y luego hablaremos —me respondió.

Aún desconfiaba de ese líquido color carmesí. Pero cuando bebí un sorbo me di cuenta de que sabía bien. Vacié el vaso y me sentí mejor de inmediato.

—Muy bien —dijo mi tía, recogiendo el vaso vacío—. Me alegro de haberle pedido a Edward que fuera a buscar el jugo a la cafetería.

—¿Quién es Edward? —pregunté—. ¿Es uno de los...?

Miré a mi tía sin decidirme a pronunciar la palabra que me había perseguido las dos últimas semanas.

—¿Vampiros? —logré decir en un susurro.

Tía Margo se mantuvo en silencio, pero luego asintió lentamente.

—Entonces es verdad —exclamé sin poder despegar la mirada del rostro de mi tía—. Todo fue real. Eres la Emperatriz de los Vampiros.

Mi tía bajó los ojos con modestia.

—Así es —murmuró.

Yo ya sabía la respuesta, pero fue sorprendente que ella misma confirmara mis sospechas.

—Y los murciélagos que trajiste a Nueva York no eran realmente murciélagos disecados —continué, con creciente energía—. Y cada noche has ido al Parque Central a chupar la sangre de las ardillas, los mapaches y los pájaros, y... y...

"¡Y eres un monstruo peligroso!", pensé, alejándome de ella.

—¡Espera! —dijo mi tía levantando una mano; su anillo de rubí brillaba—. Sí, mis colegas son los culpables de los ataques en el Parque Central, pero yo solo salí con ellos para supervisar, para asegurarme de que no cazaran de una forma excesivamente cruel. Siendo la Emperatriz, he evolucionado y no necesito chupar la sangre de animales. Puedo obtener mi alimento de la misma comida que consumen los humanos, como la carne cruda.

—¿Pero a veces te alimentas de... humanos? —susurré encogiéndome.

—No, por supuesto que no —me aseguró mi tía con un gesto de desagrado—. La mayoría de los vampiros ya no atacan a los humanos. Los que lo hacen nos dan a todos mala reputación. Los más avanzados de nuestra raza abandonaron esa odiosa práctica hace siglos.

—Oh —dije sintiendo que se me iba la fuerza de los brazos—. No lo sabía.

—¿Cómo hubieras podido saberlo? —dijo riendo.

Levanté los hombros. Mi corazón latía aceleradamente.

—Porque yo soy como tú. Yo soy un... Era un novato... un...

—Tú... —interrumpió mi tía suavemente, acercando una mano para alisarme el cabello—. Tú eres una jovencita encantadora, pero te estás dejando llevar por la curiosidad, y eso no te conviene.

—¿Qué quieres decir? —pregunté.

—Lamento desilusionarte, querida —dijo mi tía en tono divertido—, pero no eres vampiro.

Sus palabras me cayeron como un baldazo de agua fría. Creí desmayarme de nuevo.

—Pero... ¡no! —exclamé, poniéndome de pie con dificultad. Mi tía me miró serenamente—. Sé que soy un vampiro —protesté—. No tienes que mentir para consolarme. Mira —comencé a contar con los dedos—: Primero, nos parecemos como dos gotas de agua. Segundo, me encanta la carne medio cruda y detesto el ajo. Tercero, no duermo de noche y odio la luz del sol. Cuarto, tengo estos diminutos colmillos —le enseñé mis incisivos—. Y quinto, tú me llamaste para el ritual nocturno.

Respiré profundo, mirando a mi tía. ¿Estaría mintiendo porque me había desmayado? ¿O porque pensó que no era lo suficientemente fuerte como para volverme vampiro?

—Si te calmas puedo explicarte todo, querida —respondió mi tía Margo intentando tomarme de las manos.

Con desconfianza permití que me ayudara a sentarme de nuevo sobre su chal.

—Nos parecemos mucho porque somos parientes —comenzó con una sonrisa—, y eso es algo que debería complacerte, querida, porque yo era muy atractiva cuando era joven, si me permites decirlo.

Pestañeó varias veces y se arregló el moño.

—Pero yo pensé que el vampirismo era hereditario —insistí—. Se transfiere por la línea materna. Si yo heredé tu apariencia, ¿por qué no también tu...?

—¿Diferencia? —mi tía soltó una risa burlona—. El vampirismo es hereditario, pero pueden pasar muchas generaciones entre vampiros. Por ejemplo, después de que me volví vampiro, descubrí que mi bisabuela también había sido vampiro. Y aunque tú no posees esos genes, existe la posibilidad de que uno de tus hijos... —se detuvo, sonriendo misteriosamente—. Pero solo el tiempo lo dirá.

"¿Mis hijos?", pensé torciendo la boca. La idea me parecía tan lejana que no podía ni imaginarlo.

—¿Entonces el hecho de que nuestra familia provenga de Transilvania no tiene nada que ver con todo eso? —pregunté.

Mi tía Margo negó con la cabeza.

—No, todos los vampiros que estuvieron aquí esta noche tienen algo de sangre transilvana. Hay vampiros en todo el mundo, pero lo que viste aquí esta noche es una tradición puramente transilvana.

Asentí, absorbiendo la información. Era extraño pensar que la familia de Ashlee Lambert también fuera transilvana.

—Ahora volvamos a repasar tu lista —continuó la tía Margo—. Estoy segura de que conoces a muchas personas que prefieren un delicioso bistec medio crudo, y a muchas más que no soportan el ajo. Otras personas, especialmente las que tienen una imaginación tan activa como la tuya, a menudo tienen dificultad para conciliar el sueño. Tienen demasiadas ideas aquí —explicó, tocando suavemente mi frente con sus dedos fríos—. Especialmente a medida que crecen y la vida se pone más complicada.

—Oh —dije suavemente. Tenía que admitir que lo que mi tía decía tenía sentido.

—Es verdad que a muchos vampiros les molesta la luz del sol —continuó—. Preferimos quedarnos bajo techo durante el día y dormir una siesta en la tarde. Sin embargo, a algunos les gusta el sol, y los entristece mucho que su condición no les permita pasar un día en la playa. Por eso, mi querida Emma Rose, el hecho de que no te guste el sol es simplemente una característica personal tuya —y sonrió, añadiendo—: así como tus... ¿cómo se llaman en tu idioma? ¿Incisivos? —dijo señalando mis dientes.

—Sí, incisivos —aclaré sonriendo. Pasé la punta de la lengua para sentirlos. Estaban tan afilados como siempre, pero no tanto como los colmillos de los vampiros.

—Y finalmente, no recibiste el llamado especial para el ritual nocturno. Me sorprende muchísimo que te hayas enterado, lo que demuestra que eres una chica extraordinaria. Para ser llamada, debes recibir una invitación color carmesí una semana antes del ritual. La nota incluye un pasaje en avión o en tren, lo que sea necesario. A los novatos se les ordena mantener el ritual en absoluto secreto. Tenemos maneras de saber si alguien nos ha traicionado.

Mi tía Margo volvió a bajar la mirada.

Sentí un escalofrío.

—Yo no recibí ninguna invitación —admití—. Pero tuve un sueño. Soñé que despertaba en la exhibición y veía los ojos rojos de los murciélagos.

—¿Oh? —mi tía levantó una ceja—. Debo decir que muchos vampiros son síquicos. Tal vez esa es la única característica que recibiste de otras generaciones. Muy interesante.

—Entonces, tal vez soy un poco vampiro...

Sentí una extraña mezcla de esperanza y temor. Mi tía negó con la cabeza.

—Si lo fueras, te hubieras convertido en murciélago cuando terminé de recitar el encantamiento. Pero tú misma puedes ver que eso no sucedió.

Observé mis brazos y piernas y mi blusa un poco arrugada. Me pasé los dedos por las orejas. Era humana, de pies a cabeza.

—No te pongas tan melancólica, querida —añadió mi tía, abrazándome—. Deberías dar gracias por no estar volando afuera, aprendiendo a cazar con los otros vampiros. Sí, es posible llevar una vida normal aun si eres vampiro, como lo hago yo. Puedes trabajar. Puedes viajar y relajarte en un spa como el que visité en Pennsylvania. Puedes tener amigos y enamorarte, inclusive tener una familia. Pero, por supuesto, nunca serás igual a los demás. Es una carga que llevarás contigo toda la vida.

Había un tono de tristeza en su voz, y le devolví el abrazo tocando su mejilla fría con la mía tibia.

Pensé en Ashlee, exponiendo sus colmillos por primera vez en algún lugar en medio de la noche. ¿Estaría asustada? Recordé que la semana pasada había querido estar sola en el baño de la escuela. ¿Sería porque quería saber si aún podía ver su reflejo en el espejo? ¿O porque ya estaba sintiendo otros cambios que le daban miedo?

Tenía otras mil preguntas para mi tía Margo. Preguntas sobre su propia vida, sobre Ashlee, sobre mí. Pero en este momento me urgía hacerle solo una.

—Entonces, si no recibí el llamado, ¿qué quisiste decir el viernes pasado cuando afirmaste que la noche de este viernes sería muy importante para mí? Yo estaba segura de que te referías al ritual nocturno.

Mi tía inclinó la cabeza hacia un lado, pensando, y luego abrió los ojos asombrada.

—¡Ah! —dijo riendo—. Tu mamá y yo pasamos mucho tiempo juntas la semana pasada, y ella mencionó que hoy tendrías el baile de tu escuela. Recordé mi propia juventud, lo divertidos que eran los bailes de la escuela. A eso me refería, querida. Eso fue todo.

Me quedé en silencio por un minuto, absorbiendo lo que acababa de escuchar. Después de todo ese drama, no era un vampiro. Había estado segura de serlo. Tan segura que me había convertido en una nueva versión de mí misma. Y tal vez eso había sido bueno. Tal vez no necesitaba magia, ni horror, ni colmillos para cambiar. Tal vez solo necesitaba un poco de confianza y fe en mí misma.

Por ejemplo, ¿quién hubiera pensado que alguna vez me destacaría en voleibol?

—Hablando del baile —añadió tía Margo mirando su reloj—, tus amigos te deben estar esperando, ¿no? Tal vez aún tengas ganas de ir, si hay tiempo. Quizás hasta haya un chico bonito esperándote.

Una chispa brilló en sus ojos, y no pude evitar sonrojarme.

—Supongo que si voy corriendo podré llegar a tiempo —dije tomando el bolso negro de Gabby.

Saqué mi celular y vi que tenía veinte llamadas perdidas, y como cuarenta mensajes de texto de Gabby. Debe de haber estado muerta de preocupación.

—Ven, yo te acompañaré —dijo mi tía, ayudándome a ponerme de pie. Mientras alisaba mi falda, ella recogió su chal—. Podemos salir por la puerta secreta, así tus padres no nos ven.

Con actitud protectora, tía Margo me guió hasta una puerta escondida que conducía a un pasadizo que desembocaba en la calle 79.

—¿Cuándo regresarás a Rumania? —le pregunté mientras caminábamos de prisa al West Side Prep.

—Mañana —dijo, y suspiró—, y me llevaré a mis murciélagos. Antes de marcharme los reemplazaré por murciélagos disecados para la exhibición. Pero no te preocupes, querida —añadió—. Tengo una dirección de correo electrónico. Puedes escribirme cuando quieras. Especialmente cuando no puedas dormir de noche —añadió guiñándome un ojo.

—Lo haré —prometí.

Nunca les revelaría a mis padres el secreto de tía Margo. Pero ahora que podíamos hablar libremente, deseaba mantenerme en contacto con ella. Además, quedaban solo dos semanas para terminar mi proyecto de investigación genealógica, y quería confirmar algunos datos.

Con un beso en la mejilla, tía Margo me dejó en la puerta de la escuela y se perdió en la noche para volver a la fiesta de gala o a donde estaban sus vampiros.

Entré a la escuela con las ideas todavía revoloteándome en la cabeza. Los pasillos estaban desiertos, pero oí la música que venía del gimnasio. Ansiosa por ver a Gabby, a Henry y a mis otros amigos, eché a correr y abrí las puertas del gimnasio.

—Bienvenida al Halloween de Hollywood. Sonríe a la cámara —gritó alguien tomándome una foto.

El flash me cegó, pero posé con gusto para los paparazzi.

—¿De qué vienes disfrazada? —me preguntó alguien.

Me di cuenta de que me había quitado los colmillos y limpiado el maquillaje. Sonreí y levanté los hombros.

—De mí misma —respondí simplemente—. Emma Rose Paley.

—Qué idea tan original —dijo uno de los paparazzi.

Y otro le dijo a su compañera:

—Ella fue quien planeó todo el baile.

En ese momento, las puertas del gimnasio se abrieron y al voltearme vi a Ashlee Lambert. Su vestido rosado estaba un poco arrugado, su tiara estaba ladeada y su expresión era tímida y asustada. La cacería debía haber terminado. Nuevamente había asumido su forma humana.

No pude ni imaginar lo que había vivido esta noche. Pero cuando miró las cámaras con el terror reflejado en los ojos, pude imaginar lo que estaba pensando.

—¡No tomen fotos! ¡Fotos no, por favor! —grité corriendo hacia ella y tomándola del brazo.

La alejé rápidamente de la alfombra roja, fuera de alcance de los paparazzi.

—Te vi —me dijo en un susurro, con los ojos desorbitados—. ¿Por qué estabas allí? Tú no... no eres, no te transformaste...

—No soy vampiro —respondí, todavía sorprendida ante ese hecho—. Pero conozco a la Emperatriz.

Lo sé todo. Y no se lo diré a nadie. —Ashlee no pudo pronunciar palabra—. Te lo juro. Ese será nuestro secreto.

—¿De verdad? —balbuceó—. ¿No se lo contarás a nadie? ¿Ni siquiera a Abby?

—¿Quién es Abby? —pregunté frunciendo el ceño.

Ashlee me miró con expresión de asombro.

—¡Tu mejor amiga! La chica que se sienta a tu lado en las reuniones del consejo estudiantil.

—Oh —dije, riendo—. *Gabby*, obviamente.

Ashlee seguía siendo la misma aun después de volverse vampiro.

—Claro, te lo prometo. Ni siquiera a Gabby.

—Gracias, Emma Rose —dijo Ashlee.

Se veía que estaba realmente agradecida. Me sorprendí cuando extendió el brazo para darme la mano. Una mano helada, como la de mi tía Margo.

—No puedo hablar de esto con ninguno de mis amigos —continuó—, por eso me agrada saber que puedo hablar contigo si lo necesito.

—Puedes hacerlo —le dije—. Pero no sé si te servirá de ayuda.

—Te pido disculpas si alguna vez fui mala contigo, Emma Rose. Supongo que es porque siempre pensé que no simpatizabas conmigo.

"Bueno, tenías razón", pensé, pero no le dije nada.

—Todo va a estar bien —fue lo único que respondí. Sabía que nunca llegaríamos a ser amigas, pero el secreto que ahora compartíamos nos uniría de una forma extraña.

—Ashlee, ¡por fin llegas!

Eve y Mallory se acercaron, rodeando a Ashlee. Aproveché la oportunidad para alejarme.

El gimnasio estaba repleto de gente. Era evidente que Halloween de Hollywood había sido todo un éxito. Muchos bailaban, y Roger entraba y salía de la neblina que salía de la máquina de humo. Zora, Janie y Matt estaban agrupados frente al caldero tratando de pescar una manzana. Varios chicos comían dulces y posaban para los paparazzi. Padma y Caitlin bailaban con algunas chicas del equipo de fútbol; cuando me vieron, sonrieron.

Entonces vi a Gabby y Henry frente a una bandeja de dulces, ambos concentrados en el teléfono celular de Gabby. Con seguridad mi amiga me estaba enviando otro mensaje de texto. Abriéndome camino por entre la multitud, me acerqué a ella.

—¡Estoy aquí! ¡Estoy viva! —grité.

Gabby levantó la vista de su teléfono y su rostro se iluminó. Me dio un fuerte abrazo.

—Estábamos desesperados —exclamó retrocediendo para mirarme de pies a cabeza, como para asegurarse de que estuviera viva—. ¿Por qué no nos llamaste ni enviaste un mensaje?

—¿Cómo te fue? —preguntó Henry con expresión preocupada—. ¿Fue dolorosa la transformación? ¿Tuviste que salir a cazar inmediatamente?

Me reí, negando con la cabeza.

—Chicos —dije—, les prometo contarles todos los detalles más tarde, pero descubrí que después de todo no soy un vampiro.

—¿Quieres decir que sigues siendo un novato? —preguntó Henry, frunciendo el ceño.

—No —dije—. Nunca fui un novato. Y nunca seré un vampiro. Fue todo producto de mi imaginación.

Los ojos de Henry se abrieron como platos, y Gabby se quedó con la boca abierta. Yo temía que ella me dijera que me lo había advertido, pero en lugar de ello, me preguntó:

—¿Y tu tía Margo? ¿Ella sí es un vampiro?

—Oh, sí —respondí sonriendo—. Pero eso es un secreto.

Gabby y Henry asintieron solemnemente.

—No puedo creer que no seas un vampiro —dijo Gabby.

—Más bien pensé que no creerían que lo fuera —dije jugando con las antenitas de mi amiga.

—¿Qué puedo decir? —respondió Gabby—. Me convenciste.

En ese momento se acercó un chico alto y moreno. Era muy apuesto, con grandes ojos marrones, y estaba disfrazado de pirata.

—Hola, Gabby —dijo—. ¿Es esta la amiga que estabas esperando?

—Oh —respondió ella divertida y un poco azorada—. Sí. Milo, te presento a mi mejor amiga, Emma Rose. Em, él es Milo.

¡El famoso Milo! Le sonreí, y me devolvió la sonrisa. Observé que tenía alineadores plateados en los dientes... algo que Gabby pronto tendría en común con él.

Milo volvió a mirar a Gabby.

—Y ahora que Emma Rose ya está aquí, ¿quieres bailar? —le preguntó.

Gabby me miró y le hice un sutil gesto de aprobación. Entonces se dirigieron a la pista de baile. Los observé, sintiéndome feliz por mi amiga.

Luego me volteé hacia Henry. Nos quedamos de pie, mirándonos, y súbitamente me sentí incómoda e incapaz de hablar.

—Bueno —dijo. Me sonrió tímidamente. Una sonrisa encantadora. Me percaté de que se había quitado los colmillos de plástico.

—Bueno —dije también, sin saber qué hacer—. Ahora que ya sabes que no soy vampiro, ¿me encuentras aburrida?

—¿Tú? —respondió riendo—. Tú nunca serás aburrida, Emma Rose.

Mi corazón dio un salto. Recordé que Gabby me había dicho antes del baile que yo le gustaba a Henry. ¿Sería cierto? ¿Y a mí me gustaba él?

Tal vez había llegado la hora de admitir que me gustaba.

—Entonces —dijo Henry extendiendo una mano—. Ya que no eres un murciélago ni un vampiro, ¿te gustaría bailar?

Asentí feliz.

—Me parece una excelente idea —respondí.

Sentí que temblaba como una hoja (mucho más que durante el ritual nocturno), y Henry también parecía estar un poco nervioso. Pero me tomó de la mano y me condujo a la pista de baile.

Mientras bailábamos miré por una de las ventanas a lo alto de las gradas. Hubiera jurado ver el perfil negro de un murciélago volando contra la luna llena de octubre. Tal vez era mi tía Margo. Tal vez era otro vampiro. O tal vez era simplemente un murciélago común, volando tranquilamente por el cielo de Nueva York.

Y con una sonrisa pensé que tal vez era simplemente mi imaginación.

Ruth Ames nació y se crió en la ciudad de Nueva York, y aún vive allí. Ha escrito, bajo otro nombre, varias novelas para jóvenes que han tenido mucho éxito. Cuando era niña le encantaba leer libros de misterio e imaginar que su edificio estaba encantado. Aunque algunos de sus familiares provienen de Transilvania, está bastante segura de que no son vampiros...